O agir invisível de Deus

O AGIR INVISÍVEL DE DEUS

LUCIANO SUBIRÁ

Vida

EDITORA VIDA
Rua Conde de Sarzedas, 246 — Liberdade
CEP 01512-070 — São Paulo, SP
Tel.: 0 xx 11 2618 7000
atendimento@editoravida.com.br
www.editoravida.com.br
@editora_vida /editoravida

O AGIR INVISÍVEL DE DEUS
©2019, Luciano Subirá

Todos os direitos desta edição em língua portuguesa são reservados e protegidos por Editora Vida pela Lei 9.610, de 19/02/1998.

É proibida a reprodução desta obra por quaisquer meios (físicos, eletrônicos ou digitais), salvo em breves citações, com indicação da fonte.

■

Exceto em caso de indicação em contrário, todas as citações bíblicas foram extraídas da versão *Almeida Revista e Atualizada*, da *Sociedade Bíblica do Brasil*, copyright 1993, exceto indicações em contrário.

Todas as citações bíblicas e de terceiros foram adaptadas segundo o Acordo Ortográfico da Língua Portuguesa, assinado em 1990, em vigor desde janeiro de 2009.

■

As opiniões expressas nesta obra refletem o ponto de vista de seus autores e não são necessariamente equivalentes às da Editora Vida ou de sua equipe editorial.

Os nomes das pessoas citadas na obra foram alterados nos casos em que poderia surgir alguma situação embaraçosa.

Todos os grifos são do autor, exceto os indicados.

Editor responsável: Gisele Romão da Cruz
Preparação: Josemar de Souza Pinto
Revisão de provas: Sônia Freire Lula Almeida
Projeto gráfico: Claudia Fatel Lino
Diagramação: Luciana Di Iorio
Capa: Arte Vida

1. edição rev.: jun. 2019
1ª reimp.: out. 2019
2ª reimp.: ago. 2020
3ª reimp.: out. 2020
4ª reimp.: jan. 2021
5ª reimp.: maio 2021
6ª reimp.: set. 2021
7ª reimp.: dez. 2021
8ª reimp.: fev. 2022
9ª reimp.: jun. 2022
10ª reimp.: jul. 2023
11ª reimp.: out. 2024

Dados Internacionais de Catalogação na Publicação (CIP)
(Câmara Brasileira do Livro, SP, Brasil)

Subirá, Luciano
  O agir invisível de Deus / Luciano Subirá. -- São Paulo : Editora Vida, 2019.

  ISBN 978-85-383-0393-0
  e-ISBN 978-65-5584-294-4

  1. Busca de Deus 2. Crescimento espiritual 3. Palavra de Deus 4. Vida cristã I. Título.

19-25331 CDD-248.4

Índice para catálogo sistemático:

1. Busca de Deus : Vida cristã : Cristianismo 248.4
Maria Paula C. Riyuzo - Bibliotecária - CRB-8/7639

DEDICATÓRIA

Aos amigos
Arie e *Louise Ros,*
Sanderson e *Mirtes Diotalevi* e
Robert e *Maria Thereza Ferter*
pelo apoio e amparo durante o conflito interior
que me levou à compreensão destas verdades.

SUMÁRIO

Prefácio — FRANCISCO EDUARDO GONÇALVES......................9

Introdução..11

1. Confiando mesmo sem ver...15

2. Satanás a serviço de Deus..33

3. Mais que vencedores...63

4. O canto do galo...93

5. Nas asas da águia..115

6. Os aguilhões de Deus...137

7. Os abalos de Deus..155

8. Planos de bem, não de mal...169

Conclusão..187

Prefácio

Por mais atentos que estejamos ao agir de Deus, ele, em sua soberania ilimitada, sempre nos surpreenderá em coisas que ainda não percebemos.

O agir invisível de Deus só será frutífero na nossa vida à medida que aprendermos a depender da ação do Espírito Santo.

A Palavra de Deus diz que Jesus é o Agir Encarnado de Deus na terra, um mistério a ser revelado, que primeiramente precisamos conhecer (Colossenses 2.2), depois proclamar (Colossenses 4.3) e por fim manifestar: "o mistério que esteve oculto durante épocas e gerações, mas que agora foi manifestado a seus santos" (Colossenses 1.26, *Nova Versão Internacional*). Em Cristo Jesus, podemos fazer parte do agir invisível de Deus e manifestá-lo na terra.

Para mim, o pastor Luciano é um homem de Deus, que busca desvendar os segredos de Deus!

Fui muito abençoado com a leitura deste livro. Recomendo a todos sua leitura, que redundará em edificação espiritual.

Pr. Francisco Eduardo Gonçalves
Curitiba, primavera de 1999

Introdução

*Pois o Deus todo-poderoso, por ser soberanamente bom,
nunca deixaria qualquer mal existir nas suas obras se não fosse
bastante poderoso e bom para fazer resultar o bem do próprio mal.*

— Agostinho de Hipona

Tenho aprendido muito nos últimos anos acerca da estranha maneira de Deus agir, e sinto-me desafiado a compartilhar isso com o maior número de pessoas possível. Alguns questionarão o que digo simplesmente porque são intransigentes; outros porque ainda não conheceram a dor de circunstâncias aparentemente sem explicação e com "cara do abandono de Deus". No entanto, sei que muitos leitores receberão estas verdades como um bálsamo divino. Eu também oro para que elas sejam um instrumento de restauração e edificação, pois desejo muito que as vítimas da injustiça de alguns cristãos (que criam explicações simplistas e falam do que não entendem e não vivem) possam ter alento.

O que compartilho neste livro não é necessariamente a resposta para cada circunstância adversa. Há momentos em que algo ruim ocorre como consequência de nossos próprios erros. Mas a perspectiva do agir invisível de Deus, além de poder ser a resposta para muitas dessas circunstâncias, é também uma tentativa de mostrar que o nosso atual universo de raciocínios e explicações dos fatos da vida cristã está longe de ser completo! Pelo contrário, é limitado, pobre, cego, e deve nos lembrar de que precisamos buscar em Deus uma dimensão mais profunda de revelação da sua Palavra.

Vivemos dias em que a fé evangélica tem crescido e se espalhado grandemente. Graças a Deus por isso! Mas temos que reconhecer que esse crescimento numérico tem acontecido com uma velocidade e intensidade muito maior do que a capacidade da Igreja de crescer em maturidade. O próprio crescimento gera inúmeros problemas. Um deles é que muitas igrejas, com o intuito de abrir novas frentes de trabalho para acolher os novos convertidos, têm formado, às pressas, uma nova geração de ministros, sem um forte embasamento na Palavra, mas apenas com o estritamente necessário para atender a demanda. E isso tem trazido ao povo de Deus um evangelho diluído e simplista. Há uma diferença entre o evangelho simples, que toca o homem diretamente em suas necessidades e que dispensa qualquer intelectualismo, e um evangelho simplista, que tenta dar respostas diferentes às da Bíblia e que, ao tentar simplificar as questões, desconsidera o fato de que estamos lidando com pessoas que pensam, que têm sentimentos. Desse modo, estamos edificando uma geração confusa, machucada, cheia de dúvidas e até mesmo descrente — embora, para fugirem do inferno, as pessoas aprendam a conviver e até mesmo a conformar-se com todas essas coisas!

Introdução

Algo precisa sacudir-nos e arrancar-nos de nossa prepotência ao acharmos que podemos entender Deus e sua forma de agir e ditar sempre, e até, antecipadamente, como serão as coisas. Se algo acontece com alguém, sabemos por que aconteceu; se deixa de acontecer, sabemos exatamente por que não aconteceu! Temos respostas para tudo!

Não podemos negar o fato de que o reino espiritual é regido por princípios, e que tais princípios sempre serão imutáveis. Há, porém, uma grande diferença entre vê-los funcionando e discerni-los! Por exemplo, se pecamos contra Deus, colhemos as consequências, que variam de acordo com nosso comportamento, se nos arrependemos ou não. Davi pecou, adulterando e matando um amigo. Ele foi perdoado por Deus (o que remove a mancha da culpa), mas colheu as consequências, as quais lhe foram anunciadas pelo profeta Natã. Em outra situação relatada na carta à igreja em Tiatira, vemos Jesus repreender o pecado simbolizado por uma mulher chamada Jezabel. Ele disse que, se aqueles pecadores não se arrependessem, seriam julgados e ficariam prostrados numa cama, num leito de enfermidade (Apocalipse 2.18-23).

O pecado sempre tem consequências. Se nos arrependemos, somos perdoados; mas, ainda assim, colhemos as consequências. No caso de não nos arrependermos, seremos julgados. São situações diferentes, mas sempre haverá consequências. Quando alguém peca, podemos saber que haverá consequências e até mesmo prevenir a pessoa com relação a isso. Mas o que não podemos aceitar é a análise inversa, ou seja, tentar dizer se alguém está ou não em pecado pelas circunstâncias em que está vivendo. Esse é um campo em que não podemos entrar, e não cabe a nós julgar.

A Igreja do Senhor tem falhado muito nessa matéria nestes dias. Há respostas simplistas para tudo! Se alguém não recebeu a resposta à oração, é falta de fé. Se algo negativo aconteceu, foi o Diabo, e isso porque houve brecha espiritual. Se as coisas não estão bem é porque a pessoa está em pecado, e assim por diante! Muitas vezes a causa daquilo que está acontecendo pode até ser uma dessas coisas, mas não significa que seja só isso sempre!

Não podemos nos considerar doutores em psicologia divina. Alguns cristãos são assim. Aparentemente conseguem até mesmo se antecipar ao que Deus fará. "Neste caso, ele fará assim; no outro, fará 'assado' "... "Os caminhos de Deus, no entanto, são mais altos do que os nossos, e os seus pensamentos também. Paulo declarou aos coríntios: "se alguém pensa que conhece alguma coisa, não a conhece ainda como convém conhecer" (1Coríntios 8.2, *Tradução Brasileira*). Ninguém pode agir como um "sabe-tudo" em relação às coisas de Deus, principalmente em relação a seu modo de agir personalizado na vida de seus filhos.

Assim, confiemos na soberania de Deus uma vez mais e aceitemos o fato de que nem sempre teremos todas as respostas, mas sempre poderemos caminhar na certeza de que ele tem o melhor para nós, quer compreendamos quer não.

Capítulo 1
Confiando mesmo sem ver

Não sou movido por aquilo que vejo ou ouço;
sou movido por aquilo em que creio.
— Smith Wigglesworth

A NOSSA REFLEXÃO BÍBLICA COMEÇA com um texto escrito pelo homem que foi considerado o mais sábio em toda a história da humanidade: Salomão. Não creio que foi coincidência o fato de que Deus o escolheu para escrever acerca disso. Na verdade, não acredito em coincidências. Aprendi com outros irmãos em Cristo uma definição de "coincidência" que é muito interessante: "Coincidência é a obra divina em que Deus não reivindica sua autoria".

O fato é que o rei Salomão era a pessoa mais indicada para nos dar a pista de que o agir de Deus nem sempre é visto ou compreendido pelo homem, não importando quão sábio ele seja. Foi ele quem declarou:

> Assim como tu não sabes qual o caminho do vento, nem como se formam os ossos no ventre da mulher grávida, assim também não sabes as obras de Deus, que faz todas as coisas (Eclesiastes 11.5, *Almeida Revista e Corrigida*).

Três coisas são mencionadas como "coisas que não sabemos": o caminho do vento, a formação dos ossos de uma criança ainda no ventre materno, e o agir de Deus.

Na verdade, por meio da expressão "não sabes", entendemos que o escritor falava de coisas que "não vemos". Podemos saber o caminho do vento por meio do balançar das folhas de uma árvore ou pelas evidências de que ele está soprando, mas nunca por ser algo visível aos nossos olhos. O caminho do vento em si é algo oculto à nossa visão. É algo que ocorre fora do alcance dos nossos olhos.

Semelhantemente, a formação óssea de um bebê ocorre ocultamente aos nossos olhos. Não podemos ver como ela ocorre. Creio que a expressão "não sabes", que o sábio rei usou, estava apontando para "o que não vemos". Caso contrário, nem contemporânea seria essa afirmação, pois hoje a ciência traz uma explicação perfeita sobre a formação óssea do feto. Podemos "saber", mas continuamos impedidos de "ver".

Lembro-me de que, durante a gravidez dos nossos dois filhos, a minha esposa fez algumas ecografias e pudemos ver a formação física do Israel e da Lissa, mesmo antes de eles nascerem. Contudo, mesmo com todos esses recursos da ciência moderna, a formação óssea do feto — e não falo da certeza de que isso ocorre nem de como ocorre, mas, sim, do *processo* — encontrava-se oculta aos nossos olhos. Algo semelhante acontece ao caminho do vento. Sabemos que isso ocorre e até temos evidências, mas é oculto aos nossos olhos; por isso o definimos como "invisível".

Com o agir de Deus não é diferente. O texto bíblico diz que *Deus age em todas as coisas.* Depois o versículo nos deixa claro que as duas menções anteriores de coisas ocultas aos nossos olhos eram apenas um paralelo que ilustra o agir divino. Deus age sempre, e em todas as coisas, embora nem sempre esse agir seja visível aos nossos olhos, pois o que o caracteriza é a definição bíblica de que é *invisível.*

Nos nossos dias, eu tenho visto os prejuízos da falta de conhecimento desse princípio e também da falta de temor a Deus. Como pastor, ouço pessoas dizendo coisas absurdas como: "Ah, eu já coloquei Deus na parede! Se até tal dia ele não me atender, eu...".

Dá vontade de dizer a alguns: "Você o quê? Que ameaça é essa? Se ele não fizer o que você quer, você fará o quê? Você dará as costas ao Senhor e irá para o inferno? Quais são as suas opções?".

Confiando mesmo sem ver

É incrível a falta de respeito com a qual muitos se dirigem a Deus! Atualmente os papéis estão invertidos. Pelo comportamento dessas pessoas, parece até que Deus deixou de ser Senhor e passou a ocupar o papel de um simples um secretário. Está errado! Quem está na condição de "servo" somos nós, não ele!

Há o ensino bíblico da fé, e eu creio nele, pois, afinal de contas, o que é bíblico é o conselho de Deus para a nossa vida e ponto final. Creio no que Jesus ensinou sobre *falarmos às montanhas*. Eu creio em *darmos ordens* aos problemas e obstáculos, para que se retirem da nossa vida e sejam lançados no mar. Contudo, é um absurdo confundir as coisas e achar que podemos dar ordens a Deus. Ninguém dá ordens a Deus! Diante dele todos devem se calar! Ele é soberano! Ele é santo! Ele é Deus! Ele é totalmente suficiente! Ele faz o que quiser, como e quando quiser. A Igreja precisa reaprender isso!

Sei que há promessas e princípios bíblicos que já são uma revelação da vontade divina, e que, em situações em que esses princípios podem ser indiscutivelmente aplicados, não precisamos orar para descobrir qual é a vontade do Senhor e o que ele quer fazer. Mas, mesmo quando já sabemos o que Deus quer fazer, nem sempre podemos entender como ele fará o que ele quer fazer, ou mesmo quando isso será feito.

A forma de Deus agir nunca foi e nunca será previsível. O homem não pode compreender o agir de Deus com a sua mente e com o seu raciocínio, pois a operação de Deus está muito acima do nosso entendimento.

Quando Salomão mencionou *o agir invisível de Deus*, ele não disse que o Senhor deixa de agir nas circunstâncias em que parece estar ausente, mas, sim, que não podemos ver a sua operação. Não se trata de Deus deixar de agir, mas, sim, de fazê-lo de tal forma que não o vemos em ação.

Em nenhum lugar da Bíblia é apresentada uma ação divina padronizada. Não vemos o Senhor lidando com as pessoas por atacado. O seu agir na nossa vida é pessoal. Cada pessoa, ou cada situação, é tratada por Deus com carinho e criatividade. Há um agir personalizado, e isso é inegável. Mesmo nas guerras e batalhas (acontecimentos muito comuns e repetitivos nas páginas do Antigo Testamento), nunca vemos duas intervenções divinas iguais. Para cada situação, há uma intervenção diferente, embora os resultados finais sejam semelhantes. O que concluímos é que, mesmo quando a vontade expressa de Deus é livrar seu povo das mãos do inimigo, a forma com que ele o faz é sempre um mistério. Ou seja, mesmo quando sabemos *o que* ele quer fazer, não podemos saber *como* ele o fará.

O que é necessário então é parar de achar que Deus nos deve uma satisfação com relação ao seu agir. Ele age sempre e em todas as circunstâncias. A parte que nos cabe é crer e esperar a sua manifestação, não exigir que o Senhor nos mostre a forma de operar que foi adotada. Há muitas pessoas cobrando de Deus uma *explicação* para o que não entendem. No entanto, o nosso Pai celestial nunca nos prometeu que ele daria explicações de como operaria. A única coisa que ele prometeu foi que agiria. Assim, enquanto ele opera de forma invisível aos nossos olhos, espera que nós creiamos.

Um contínuo exercício de fé

Na verdade, eu gostaria de chamar a sua atenção para a importância do fator confiança. Deus espera que o nosso coração repouse nele em todo o tempo e em qualquer circunstância,

Confiando mesmo sem ver

pois o fato de aceitarmos um agir invisível aos nossos olhos é um ótimo treinamento para a nossa fé. Talvez esta seja uma das razões pelas quais o Senhor escolheu agir assim: exercitar continuamente a nossa fé. E a definição bíblica de fé é a seguinte: "Ora, a fé é a certeza de coisas que se esperam, a convicção de fatos que se não veem" (Hebreus 11.1).

Crer no agir de Deus é ter uma convicção sobre algo que não se vê. O nosso irmão Paulo disse aos coríntios que "andamos por fé, e não por vista" (2Coríntios 5.7, *Almeida Revista e Corrigida*). A lição que o Senhor Jesus deu a Tomé após a sua ressurreição é mais uma prova disso. A fé nunca se baseia no que vemos, mas na certeza de que o que Deus prometeu é um fato e terá o seu cumprimento. Ora, aprendemos essas coisas logo no início da nossa caminhada cristã, e elas não são difíceis de aceitar, tampouco geram discussões entre o povo de Deus, pois são indiscutíveis. Mas, na hora em que nos encontramos em apuros e não conseguimos ver Deus agindo (pois o seu agir é oculto aos nossos olhos), esquecemo-nos rapidamente disso.

Ninguém tem o direito de exigir do Senhor uma satisfação com relação à sua maneira de agir. Primeiramente, porque ele é Senhor e não está numa posição de ser questionado. Em segundo lugar, porque ele nunca nos prometeu que veríamos a sua forma de agir. Pelo contrário, ele nos ensina em sua Palavra que o seu agir é invisível aos nossos olhos e que a nossa caminhada deve ser pela fé, não pela vista. Ou seja, não devemos ter a expectativa de ver, mas somente devemos crer na fidelidade daquele que prometeu agir em todas as coisas. Resumindo, Deus não tem nenhum compromisso conosco no sentido de nos explicar como ele está agindo, embora tenhamos a responsabilidade de

O AGIR INVISÍVEL DE DEUS

permanecer na fé, mesmo quando não houver uma evidência visível de que está atuando.

Desde o início do relacionamento de Deus com os homens, vemos essa nossa dificuldade humana de crer no invisível, como também a insistência divina de que isso deve ser assim. Quando Deus se manifestou de uma forma tão intensa a todo o povo de Israel que havia saído do Egito, ele se absteve de aparecer em uma determinada *forma*, para que não tentassem imitá-la mais tarde na forma de um ídolo:

> Então, o SENHOR vos falou do meio do fogo; a voz das palavras ouvistes; porém, além da voz, não vistes aparência nenhuma. [...] Guardai, pois, cuidadosamente, a vossa alma, pois aparência nenhuma vistes no dia em que o SENHOR, vosso Deus, vos falou em Horebe, no meio do fogo; para que não vos corrompais e vos façais alguma imagem esculpida na forma de ídolo, semelhança de homem ou de mulher, semelhança de algum animal que há na terra, semelhança de algum volátil que voa pelos céus, semelhança de algum animal que rasteja sobre a terra, semelhança de algum peixe que há nas águas debaixo da terra (Deuteronômio 4.12,15-18).

O que esse episódio retrata é a dificuldade que todo ser humano tem no sentido de *confiar no que não vê*. Contudo, o Senhor escolheu a dimensão de relacionamento que se baseia na fé e na confiança. E cada vez que ele age sem que os nossos olhos vejam ou a nossa mente compreenda, ele está nos proporcionando um exercício de fé. Na verdade, como ele sempre age assim, ele nos proporciona um *contínuo exercício* de fé.

O homem tem dificuldades para aceitar isso. Ele vive tentando criar atalhos e acaba se dando mal, pois, quando ele entra num caminho que Deus não abriu, acaba se afastando dele

Confiando mesmo sem ver

cada vez mais. A idolatria em todo o mundo é uma prova disso. Cada povo e cada cultura, em todos os períodos da História, sabe o que significa fabricar ídolos. É uma tentativa de tornar a fé algo visível e palpável. As pessoas acham mais fácil crer no que veem (ainda que seja um pedaço de madeira ou de gesso) do que no que é invisível. Mas Deus tem se revelado assim, e quem deseja relacionar-se com ele tem de se submeter a isso.

Assim, cada vez que nós, cristãos, murmuramos por não termos evidências do agir de Deus, estamos, na verdade, incorrendo no mesmo erro dos idólatras. A nossa murmuração parece algo mais ameno, mas a premissa é a mesma, e, se não tomarmos cuidado, entristeceremos o Senhor e nos afastaremos dele.

O fato de não sabermos como Deus agirá não deve ser, em momento algum, uma incerteza se ele de fato agirá ou não. Pelo contrário, isso deve gerar em nós a expectativa de como ele nos surpreenderá com os caminhos que escolheu para intervir em cada nova circunstância da nossa vida.

Devemos depender inteiramente do Senhor e aprender a exercitar continuamente a nossa fé. Em seu ministério terreno Jesus repreendeu algumas pessoas por sua pequena fé, e houve alguns que ele elogiou por sua grande fé. Contudo, houve um homem cuja fé foi realmente elogiada por Cristo, a ponto de ele chegar a dizer que não encontrou fé semelhante à desse homem em todo o Israel. Ele era um centurião romano. Em Mateus 8.5-13, podemos ler sobre o seu pedido para que Jesus curasse um de seus servos, e, no momento em que Cristo se dispôs a ir à sua casa, esse homem reconheceu que nem era preciso; bastaria com que Jesus dissesse apenas uma palavra e seria o suficiente para que o milagre acontecesse, pois, quando alguém está investido de autoridade, suas ordens têm que ser obedecidas. Esse centurião não quis nenhuma evidência visível. A sua fé estava apoiada *na palavra de Cristo,* e isso bastava. Jesus disse que esse foi o mais alto nível de fé que ele encontrou. É nesse nível que devemos nos sentir desafiados a nos mover com relação às coisas do Senhor!

Não podemos e não devemos agir tentando nos apoiar no que é visível, mas devemos crer e depender inteiramente do que Deus disse em sua Palavra. E, à medida que procedemos assim, exercitamos a nossa fé.

De fato, confiar em Deus sem depender de um testemunho visível é um exercício de fé. E repito: como o Senhor sempre age assim, então o que temos é um *contínuo exercício de fé!*

Pensamentos mais altos

Os nossos olhos não alcançam a esfera da operação de Deus porque esta pertence a um plano superior. Outra razão bíblica (além do exercício da fé) que encontramos para o fato de o Senhor agir num plano invisível aos nossos olhos é que os seus pensamentos são mais elevados que os nossos. A mente de Deus é infinitamente mais ampla que a nossa, e a sua sabedoria é tão gigantesca que não há como dimensioná-la. Esperar que ele aja de uma forma que entendamos é limitar e rebaixar grotescamente o seu agir. A maneira de o nosso Senhor agir transcende o limite humano de compreensão. Quando as Escrituras falam que os caminhos de Deus são mais altos que os nossos, elas relacionam isso com o fato de os seus pensamentos também serem mais altos que os nossos:

> Porque os meus pensamentos não são os vossos pensamentos, nem os vossos caminhos, os meus caminhos, diz o Senhor, porque, assim como os céus são mais altos do que

Confiando mesmo sem ver

a terra, assim são os meus caminhos mais altos do que os vossos caminhos, e os meus pensamentos, mais altos do que os vossos pensamentos (Isaías 55.8,9).

Podemos afirmar com toda a certeza que o fato de Deus agir por caminhos mais altos (e isso é derivado do fato de que os seus pensamentos também são mais altos) deve-se à sua infinita capacidade de gerenciar todas as coisas. Quando pensamos na resposta para o nosso problema, a nossa mente limitada e egoísta só pensa nesse problema. Quando Deus pensa na resposta para o nosso problema, ele vai além, muito além!

Ele consegue propor respostas que não se limitam somente a esse momento e consequência, mas que também tocam *a causa* do problema e têm o poder de *continuarem agindo* em nós quando o que considerávamos problema já não estiver presente.

Também poderemos sugerir que, além de nos tocar isoladamente, ele ainda poderá estar propondo soluções que não envolvam somente a nós mesmos, mas também outras pessoas. Deus poderá ainda estar tocando não somente uma área problemática, como também toda uma rede de outros problemas interligados ao que nos incomoda mais. Ou ele poderá tocar valores e escolhas errados, que permitiram a entrada e a instalação de tal problema. E mais, muito mais!

A nossa mente talvez faça uma longa e abrangente lista, mas, independentemente de quão longe a nossa perspicácia e o nosso raciocínio puderem nos levar, jamais chegaremos perto da forma de pensar de Deus, que está fora do nosso alcance.

A sabedoria de Deus nos é apresentada na Bíblia como tendo muitas formas. Em Efésios, ela é denominada "multiforme sabedoria", ou seja, uma sabedoria que não é limitada, mas que se abre num leque infinito de dimensões da operação divina. Essa ilimitada sabedoria pluraliza a resposta de Deus para cada problema ou obstáculo que o ser humano enfrenta, em vez de tocar de forma direta uma única questão. Deus tem o poder de trazer às nossas situações várias intervenções, que, por sua vez, jamais enxergaríamos.

Considere também que o Senhor conhece o futuro, que é algo que homem algum, nem mesmo o Diabo, tem capacidade de conhecer. Portanto, a ação de Deus não está voltada somente ao "já" e ao "agora", mas ela também se estende ao futuro e sempre prioriza o nosso melhor em uma visão global, mais abrangente do que a nossa mente jamais poderia alcançar. A atuação de Deus é integrada e também sinérgica.

Para o ser humano, o desvendamento de mistérios parece ser algo de suma importância. Deus, por outro lado, parece fazer questão de ocultar algumas coisas, especialmente o que diz respeito à sua ação na nossa vida.

Salomão foi um homem sábio e inquiridor, mas enxergou em Deus essa característica e a mencionou, não apenas em Eclesiastes, mas também em Provérbios: "A glória de Deus é encobrir as coisas, mas a glória dos reis é esquadrinhá-las" (Provérbios 25.2).

"Esquadrinhar" não é algo somente dos reis, mas também de todo ser humano. No entanto, no caso dos reis da Antiguidade, quanto mais conhecedores dos mistérios eles fossem, mais respeito ganhavam do povo. Contudo, "esquadrinhar" é algo que está ligado ao homem de forma geral. Todos queremos entender bem e saber explicar as coisas. Assim, essa forma de o Senhor operar parece ser inaceitável à nossa própria natureza.

Confiando mesmo sem ver

Isso gera lutas, mas precisamos aprender a superá-las e descansar em Deus.

Parece que quanto *mais* tentamos entender o agir de Deus, *menos* conseguimos enxergá-lo. Encontramos nas Sagradas Escrituras um acontecimento que exemplifica muito bem isso. É o episódio do aparecimento do Senhor Jesus Cristo aos dois discípulos que caminhavam em direção a Emaús.

Esse texto nos mostra que temos a tendência de traçar os nossos próprios planos para o agir de Deus. É como se inconscientemente estivéssemos dizendo ao Senhor como ele deveria agir. Fixamo-nos tanto em esperar que Deus aja de determinada maneira que, quando ele age diferentemente do que esperávamos, não conseguimos vê-lo. Precisamos aprender a esperar pelo agir de Deus sem nos prendermos ao modo específico de como ele agirá.

"Esperávamos que fosse"

Esse episódio ocorreu após a morte e ressurreição do Senhor Jesus, quando dois discípulos caminhavam tristes para Emaús, não sabendo que Cristo havia ressuscitado. O próprio Jesus lhes apareceu, mas não puderam reconhecê-lo, pois os seus olhos estavam espiritualmente fechados:

> Naquele mesmo dia, dois deles estavam de caminho para uma aldeia chamada Emaús, distante de Jerusalém sessenta estádios. E iam conversando a respeito de todas as coisas sucedidas. Aconteceu que, enquanto conversavam e discutiam, o próprio Jesus se aproximou e ia com eles. Os seus olhos, porém, estavam como que impedidos de o reconhecer (Lucas 24.13-16).

Repare que o texto diz que os olhos deles estavam impedidos de reconhecê-lo. Não sei se você já parou para pensar por

O AGIR INVISÍVEL DE DEUS

que eles estavam impedidos, mas eu já. Durante muito tempo, eu achei que Jesus não queria que eles o reconhecessem, ou que talvez estivesse diferente depois da ressurreição, mas o fato é que não ocorreu nem uma coisa nem outra.

Diferente Jesus não estava, pois, ao aparecer ao restante dos discípulos, ele mostrou até mesmo os ferimentos que lhe fizeram ao lado, como também os ferimentos dos cravos nas mãos e nos pés. Assim, o seu corpo ressuscitado era o mesmo em aparência.

A continuação do texto nos mostra a razão pela qual eles não conseguiram reconhecer que era Jesus:

> Então, lhes perguntou Jesus: Que é isso que vos preocupa e de que ides tratando à medida que caminhais? E eles pararam entristecidos. Um, porém, chamado Cleopas, respondeu, dizendo: És o único, porventura, que, tendo estado em Jerusalém, ignoras as ocorrências destes últimos dias? Ele lhes perguntou: Quais? E explicaram: O que aconteceu a Jesus, o Nazareno, que era varão profeta, poderoso em obras e palavras, diante de Deus e de todo o povo, e como os principais sacerdotes e as nossas autoridades o entregaram para ser condenado à morte e o crucificaram. Ora, nós esperávamos que fosse ele quem havia de redimir a Israel; mas, depois de tudo isto, é já este o terceiro dia desde que tais coisas sucederam (Lucas 24.17-21).

Aqueles dois discípulos estavam tristes e abatidos. Cristo se fez de desentendido, perguntando-lhes por que eles estavam com o semblante daquele jeito. Por meio da resposta deles, percebemos que tinham uma expectativa com relação a Jesus e que a crucificação havia "arrebentado com ela".

Os judeus, em geral, esperavam um Messias que se manifestaria como um general de guerra e que os livraria do domínio

Confiando mesmo sem ver

dos romanos, para que eles pudessem estabelecer o seu próprio reino. É por isso que, em certa ocasião, Tiago e João pediram que, quando Cristo se assentasse no trono da sua glória, um deles se assentasse à sua direita, e outro à sua esquerda. Eles imaginavam um reino físico, e, ao lado do Rei, queriam ser ministros da Fazenda e do Planejamento.

Cleopas e o seu companheiro de caminhada demonstraram claramente a sua frustração ao concluírem com as seguintes palavras: "esperávamos que fosse ele quem havia de redimir a Israel; mas, depois de tudo isto, é já este o terceiro dia desde que tais coisas sucederam". O que eles estavam dizendo?

Estavam dizendo que achavam que por meio de Jesus viria a redenção (física) de Israel, mas já fazia três dias que ele havia sido morto; ou seja, esperavam que fosse ele, mas tudo indicava que não era! Isso foi mais ou menos o que eles davam a entender com a expressão "esperávamos que fosse".

Essa expressão é uma chave importante no texto. Eles tinham uma expectativa de como Deus agiria, mas Deus agiu diferentemente do que esperavam. Enquanto eles esperavam um reino físico somente para Israel, Jesus estava cuidando da redenção dos pecados de toda a humanidade e estabelecendo o aspecto espiritual do Reino de Deus. Em seu retorno à terra, ele estabelecerá o aspecto físico do Reino, mas a sua primeira vinda não envolvia esse aspecto. Contudo, os discípulos estavam tão fixados nessa ideia que não conseguiam ver Deus agindo de outra forma. Achavam que a morte de Cristo na cruz havia sido uma derrota, e não conseguiam imaginar Deus no controle da situação. Pelo fato de que esperavam o agir de Deus de uma única maneira, não conseguiam ver o que o Pai celestial estava fazendo de modo diferente do que haviam pensado.

O AGIR INVISÍVEL DE DEUS

Assim também acontece conosco. Fantasiamos tanto o agir de Deus que acabamos criando as hipóteses de como agiríamos se fôssemos Deus, fazendo os nossos planos. Fixamo-nos nas nossas ideias, e, quando o Senhor acaba agindo de modo diferente, não conseguimos vê-lo em ação.

Eu gostaria de desafiar você a parar de tentar ensinar a Deus como ele deveria agir quando você orar por algo. Até mesmo quando não o fazemos verbalmente, acabamos fazendo-o com os nossos pensamentos. Pelo fato de nos fixarmos tanto na espera de uma única forma de atuação divina, os nossos olhos não reconhecem quando o Senhor está operando na nossa vida.

Muitas vezes, não conseguimos ver o agir de Deus porque ele realmente o ocultou, mas há momentos em que nos excluímos da possibilidade de ver porque ficamos presos ao que esperávamos dele. Foi somente depois que Jesus lhes explicou biblicamente o que deveria acontecer com o Cristo e lhes demonstrou pela sua conhecida forma de partir o pão que era ele mesmo falando com os discípulos pelo caminho que os olhos destes se abriram. Agora eles já não esperavam mais o general de guerra, mas o Cristo ressurreto. Pois já não havia mais o que os impedisse de ver.

Eu já senti o mesmo que esses dois discípulos sentiram. Eu nunca esperava que Deus pudesse agir em circunstâncias aparentemente negativas. Portanto, nos momentos em que ele estava agindo na minha vida de uma forma diferente da qual eu esperava, eu não conseguia ver que era ele em ação. Uma espécie de cegueira espiritual estava sobre os meus olhos e não permitia que eu reconhecesse Deus comigo. Eram os conceitos errados e fantasiosos que eu mesmo criara de como deveria ser

Confiando mesmo sem ver

a ação de Deus nesses momentos. Mas, assim que o Senhor começou a fazer que eu entendesse a Palavra, e que havia maneiras diferentes de Deus agir, os meus olhos se abriram e eu pude reconhecê-lo comigo nas horas em que aparentemente isso seria impossível. E foi exatamente assim que aconteceu com os discípulos:

> E aconteceu que, quando estavam à mesa, tomando ele o pão, abençoou-o e, tendo-o partido, lhes deu; então, se lhes abriram os olhos, e o reconheceram; mas ele desapareceu da presença deles (Lucas 24.30,31).

Em nosso anseio de querer compreender tudo de uma forma racional, essa forma misteriosa de Deus agir não parece ser algo tão bom. Contudo, à medida que trazemos mais luz da Palavra sobre essa forma divina de ação, percebemos quão linda e inspiradora ela é, uma vez que retrata a soberania e o cuidado do Pai celestial para conosco.

O que inicialmente eu gostaria de estabelecer, não explicar, é que isso é um princípio bíblico. O agir de Deus é invisível — está fora do alcance da nossa vigilância. E isso se deve a várias razões. Já mencionamos a necessidade de se andar pela fé. Falamos também que os pensamentos de Deus são mais altos e que não conseguimos compreender sua multiforme sabedoria ou a pluralidade das respostas que ele traz em uma única circunstância. Afirmamos ainda que muitas vezes somos tão limitados pela nossa maneira de pensar como Deus deveria agir que, quando ele age de um modo diferente, acabamos não conseguindo vê-lo em ação (ainda que agora seu agir seja visível). Mas, em tudo isso, o que eu mais gostaria de destacar é a enorme e indizível diferença que há entre a nossa forma de pensar e a de Deus, em sua multiforme e infinita sabedoria!

No entanto, essa vantagem divina de pensamentos mais altos não é somente sobre o homem, mas também sobre Satanás e seus demônios!

Capítulo 2
Satanás a serviço de Deus

O Diabo é o Diabo de Deus.
— Martinho Lutero

CHOVIA NA MAIOR PARTE DO TEMPO enquanto seguíamos pela BR-116 rumo a Curitiba. Embora o apelido da estrada fosse "Rodovia da Morte", ela não nos amedrontava — talvez porque já tivéssemos feito várias vezes o trajeto de São Paulo até a capital paranaense e vice-versa, e também pelo fato de confiarmos na proteção de Deus.

A viagem seguia tranquila, sem excessos, e, como de costume, passávamos a maior parte do tempo em oração. Foi assim até a divisa dos estados, e outros quatro quilômetros e meio depois. Então aconteceu o que marcaria para sempre a minha vida, não pelas implicações naturais do ocorrido, mas pelo que Deus viria a me mostrar e ensinar, bem como pelo novo rumo que tomaria a minha vida.

Éramos dois no carro, o irmão Harold McLaryea e eu. A nossa equipe ministerial contava com mais um integrante nas viagens, o irmão Robert Ros, que havia viajado antes de nós. Nós estávamos mudando a base do nosso ministério de Campinas para Curitiba e, nessa viagem, carregávamos tudo o que coubera na nossa Parati. O encosto do banco traseiro estava deitado, e o carro estava cheio até o teto, além das malas no chão do automóvel sob as nossas pernas. A soberania divina fez que a falta de espaço poupasse o Robert do acidente, e o levou tranquilo a Curitiba num ônibus da Viação Cometa.

Era 23 de agosto de 1993, uma segunda-feira. Não tenho muitos detalhes na minha memória, a qual quase completamente apagou o ocorrido e teima em permanecer "dormente". Contudo, somei os relatos das pessoas que se envolveram e consegui informações suficientes para entender o que aconteceu.

Os pneus já estavam bem gastos e o carro não estava no seguro. Assim, o único culpado era eu mesmo, embora durante vários meses eu quisesse transferir a responsabilidade para Deus.

Quase cinco quilômetros depois de termos entrado no Paraná, ultrapassei um caminhão, o que fez que eu elevasse a velocidade do carro um pouco mais do que a que vínhamos mantendo — cerca de 100 km/h. O motorista do caminhão não queria perder o embalo, e eu forcei um pouco a ultrapassagem, para que pudesse terminá-la e voltar à minha pista, um pouco antes de outro caminhão, que vinha no sentido contrário, cruzar conosco.

Logo depois, após percorrermos uns 200 metros apenas, aconteceu uma aquaplanagem. Havia chovido toda a tarde, e, naquela hora, umas 17h30, caía uma garoa fina, mas na pista ainda havia muita água. Não sei o tamanho da poça d'água. Só me lembro de que o carro perdeu a direção e saiu da pista para a esquerda. Não colidimos com ninguém. Tudo ocorreu somente conosco, mas fomos lançados diretamente a um barranco enorme, com degraus antierosão, com 45 metros de desnível.

Ainda me lembro do momento em que o carro saiu da pista e o Harold clamou pelo nome de Jesus. De repente, o carro voou barranco abaixo, e, depois do primeiro impacto, descemos por um verdadeiro tobogã, que fez que tudo o que estava no carro fosse arremessado fora, exceto o motorista e o passageiro, que estavam presos ao cinto de segurança.

Fomos parar a uns 70 metros da rodovia. Eu bati a cabeça várias vezes, o que me fez perder a consciência. O caminhoneiro que eu havia ultrapassado assistiu à cena e parou para prestar socorro. O Harold e ele me levaram barranco acima, e logo um carro parou, levando-nos até o posto da Polícia Rodoviária

Satanás a serviço de Deus

mais próximo. Eles, por sua vez, nos levaram até o hospital de Campina Grande do Sul, que fica perto de Curitiba.

Eu tive traumatismo craniano, levei uns 30 pontos no rosto e na cabeça, e, em razão de uma fratura mais séria na mão esquerda, precisei ser submetido a uma cirurgia, para a colocação de dois pinos de platina. Por causa da intensidade das pancadas na cabeça, precisei passar dois dias em observação, na Unidade de Tratamento Intensivo. O Harold, no entanto, saiu ileso, sem nenhum arranhão.

No hospital, descobri que havíamos perdido tudo. O nosso carro foi considerado como perda total. As nossas malas foram roubadas. Quanto ao resto da nossa mudança, o que não foi danificado na queda e no barro acabou sendo roubado.

No entanto, a dor que eu sentia não se devia tanto à perda em si, mas a um sentimento estranho que começou a brotar na minha alma — um misto de abandono com rejeição; algo contra o qual eu lutava, mas que, aos poucos, parecia me devorar.

Por que Deus havia permitido aquilo? E as orações que havíamos feito a ele? E suas promessas de proteção e cuidado?

Entrei em crise! Os irmãos me visitavam e tentavam animar-me, mostrando que o Senhor havia guardado a nossa vida. Eu havia contado a eles que o médico me mostrou o resultado da tomografia que acusava uma dificuldade de distinguir a massa branca da cinzenta e lesões nas partes moles do cérebro. Isso em si não era tão complicado assim, mas indicava a intensidade do trauma. Contudo, o médico me havia dito que, considerando que esse trauma aconteceu na fronte, a parte mais sensível da cabeça (entre os olhos e os ouvidos), eu poderia até mesmo ter morrido. Havia ainda a questão do meu olho. A minha pálpebra esquerda foi restaurada no centro cirúrgico, pois ela havia se rasgado até um pouco mais da metade, e os médicos me disseram que o meu globo ocular (e consequentemente a minha visão) fora poupado de forma milagrosa.

Vendo-me abatido, os irmãos em Cristo tentavam mostrar-me o lado da intervenção de Deus. No entanto, algo dentro de mim doía muito. Eu não ousava dizê-lo, mas pensava comigo mesmo que, intervenção milagrosa por intervenção milagrosa, não teria sido mais fácil se o Senhor tivesse colocado o meu carro de volta na pista no momento em que nos desgovernamos?

Por que Deus havia permitido que caíssemos barranco abaixo, para então resolver nos proteger? Onde ele estava quando eu precisei dele?

Se eu havia dado a minha vida ao ministério e à obra do Senhor, cuidando das coisas dele, por que então Deus não cuidara de mim e das minhas coisas?

Eu estava pensando como um insensato e sabia disso. Não tinha coragem de dizer essas coisas, mas não conseguia parar de pensar nelas. Uma dor profunda me atravessava o peito, tentando me convencer de que Deus me havia abandonado na hora em que eu mais precisara dele. Para a minha razão, não havia a menor sombra de dúvida de que o Senhor é justo e fiel, mesmo quando as circunstâncias insistem em aparentar o contrário. Contudo, eu não conseguia convencer as minhas emoções. Os meus sentimentos diziam outra coisa, e uma verdadeira batalha interior começou, chegando a durar muitos meses. Em alguns momentos, eu achava que era muito drama interior para um rapaz de 20 anos e que eu talvez estivesse aumentando as coisas, mas não havia meios de me convencer e de aplacar esse sentimento.

Satanás a serviço de Deus

Eu comecei a pregar aos 18 anos de idade e já fazia dois anos que estávamos viajando por várias cidades e estados, levando o mover do Espírito a muitas igrejas. Tivemos o privilégio de ver muitos milagres e poderosas intervenções de cura. O sobrenatural era frequente nas reuniões. Além disso, havia o aspecto de uma vida vitoriosa que sempre enfatizávamos. Na verdade, era isso o que mais me incomodava, pois eu me sentia como se houvesse sido golpeado pelo Inimigo. Esse acidente não teve nada a ver com a vida vitoriosa em que eu acreditava, mas ele derrubou os castelos espirituais que eu havia construído com um pouco de fantasia.

Na época, tínhamos uma agenda de viagens bem cheia, para o ano todo, mas foi necessário dar uma parada, pelo menos até que eu me recuperasse. De repente, os planos mudaram. Na verdade, não apenas mudaram, mas acabaram de vez! Então comecei a deixar as coisas "rolarem" e a pedir que Deus estivesse no controle.

Foi nesse período que eu acabei indo a Guarapuava, no Paraná. Estivemos várias vezes na cidade, pregando numa igreja denominacional que recebeu um forte impacto pelo mover do Espírito. Depois, o pastor teve problemas no sentido de permanecer na denominação e iniciou um novo trabalho, mas não ficou por muito tempo. Uns quatro meses depois de ter iniciado o trabalho, ele acabou indo para outra cidade. Como o único contato que aquele grupo de irmãos tinha, como nova igreja, era conosco, eles nos pediram ajuda.

Comecei então a estender um auxílio ao trabalho, embora tivesse a intenção de não ficar em definitivo, pois não me considerava um pastor, mas somente um ministério de apoio itinerante. Contudo, Deus falou ao meu coração e ao coração dos irmãos daquele grupo, e decidi investir pelo menos um tempo no trabalho local. Inicialmente pedi reforço ao Luís Gomes, amigo e companheiro de muitas viagens, que na época não fazia parte da nossa equipe, mas desempenhava o seu próprio ministério. Alguns meses depois, o Harold e a Dorilene, ainda recém-casados, se uniram a nós na missão de pastorear a Comunidade Cristã de Guarapuava, hoje chamada Comunidade Vida. Que viravolta! Eu sempre havia declarado a muitos irmãos e amigos que a última coisa que eu desejaria neste mundo era ser pastor. E, de repente, lá estava eu! Não sei o que pensei ao certo, só sei que eu não tinha planos de ficar por muito tempo. Contudo, tenho aprendido que "o coração do homem pode fazer planos, mas a resposta certa dos lábios vem do SENHOR" (Provérbios 16.1).

Eu passei por muitas crises interiores por causa desse acidente, mas fiquei cansado de "lutar" com Deus e não ter respostas, e acabei desistindo de insistir e passei a engolir as minhas interrogações até quando aguentasse.

Um ano e três meses depois do acidente, e quase um ano em Guarapuava, fomos ordenados e reconhecidos como presbitério nessa igreja. Os pastores com quem caminhávamos mais de perto vieram de Curitiba e procederam, como de costume, pedindo-nos que nos preparássemos para uma ministração profética que ocorreria junto com a ordenação. Nessa época, eu já desconfiava de que Deus havia aproveitado tudo aquilo para nos levar a Guarapuava, mas tinha as minhas dúvidas, bem como o receio de estar acomodado demais ao transferir toda a responsabilidade da mudança ao controle divino.

Foi então que algo marcante aconteceu comigo. Por meio dos pastores que ministraram na minha vida, Deus falou ao meu

Satanás a serviço de Deus

coração sobre a maneira pela qual ele havia "quebrado algumas pontes" para aplicar seu tratamento em mim e guiar-me de acordo com o seu plano. Disse também que me havia tirado daquele ministério itinerante para me estabelecer em uma cidade, com o propósito de me fazer crescer, e que, no devido tempo, eu seria liberado para um ministério que abençoaria toda a nação. O Senhor usou os pastores Miguel Piper, Thomas Wilkins e Francisco Gonçalves, cada um deles acrescentando algo. Houve não somente um encorajamento trazido pelas palavras, mas também um sentimento novo, uma testificação espiritual de que era aquilo mesmo. Um novo vigor entrou em mim! Louvado seja Deus por esse dia tão especial, mas os detalhes do que eu precisava ouvir vieram quase um mês depois, quando o pastor Francisco Gonçalves voltou para nos visitar e ministrar a nós. Numa conversa descontraída, falávamos sobre as nossas experiências com anjos — eu, o Luís e ele. Então acabei lhe perguntando qual havia sido a experiência mais recente que o Senhor lhe dera. Para a minha surpresa, ele respondeu que havia sido durante a nossa ordenação, e que a palavra profética que ele havia proferido foi, na verdade, uma visão que Deus lhe deu, e que ele havia conversado com um anjo acerca do meu ministério. Ele disse que apenas transmitiu o que ouviu na conversa. Fiquei espantado e comecei a "inquisição", para arrancar cada detalhe dessa experiência.

Não quero parecer sensacionalista ao contar a experiência em seus detalhes. Justamente pela sua humildade, o pastor Francisco nem me havia dito o que aconteceu. Ele simplesmente transmitiu a mensagem de Deus sem alardes. Contudo, naquela época, eu jamais teria aceitado essa mensagem se ela não tivesse vindo dessa forma.

O que o anjo revelou

Enquanto o pastor Francisco orava por mim, Deus lhe abriu os olhos espirituais e ele viu um anjo em pé, ao meu lado. O mensageiro celestial se apresentou de maneira formal, dizendo:

— Fui enviado da parte do Deus altíssimo para fazer você saber algumas coisas acerca desses ministérios [a referência no plural envolvia nós três]. Você tem uma preocupação muito grande por eles, mas Deus lhe faz saber que eles estão nas mãos do Senhor e que estão no lugar certo, na hora certa, fazendo a coisa certa.

Após essa referência ao nosso ministério plural, a palavra passou a ser especificamente sobre a minha vida. O anjo prosseguiu:

— Quanto a este aqui, ele é um guerreiro divertido. Ele não pergunta se é o tempo de Deus ou não para atravessar a ponte...

Então a mensagem continuou, não apenas nas palavras que ele usava, mas também em visões que ilustravam o que ele estava falando. No momento em que o anjo afirmava que eu não perguntava o tempo de Deus para atravessar uma ponte, o Francisco viu uma cena: eu estava diante de uma ponte e afirmava: "A ponte foi feita para atravessar".

Era uma forma de declarar: "Se ela está aí, então eu não preciso esperar por nenhuma hora específica. É só seguir em frente!".

Foi isso o que o pastor me viu fazendo na visão. Eu passei correndo por uma, duas, três, várias pontes! E ele simplesmente sabia, mesmo sem que ninguém lhe tivesse dito, que as pontes significavam o acesso de um nível ministerial a outro. Deus lhe comunicava isso ao seu espírito à medida que a revelação vinha. Eu passava pelas pontes bem depressa, uma após outra. Até que o mesmo anjo foi e quebrou algumas pontes diante de mim, para que eu não as atravessasse. Foram mostradas três pontes

Satanás a serviço de Deus

específicas que ele destruiu, para que eu não passasse por elas. Então veio a explicação pela boca do mensageiro celestial:

— Ele estava avançando a níveis ministeriais sem que estivesse pronto ou tratado para isso. Por isso foi necessário quebrar algumas pontes, mas ele é rebelde e não aceita o tratamento de Deus. Quanto àquele acidente do ano passado, diga-lhe que Satanás tentou tirar-lhe a vida, mas diga por que Deus o permitiu, embora sem deixar que a sua vida fosse tocada. O seu ministério estava crescendo muito rapidamente, sem que ele fosse trabalhado no íntimo, e, nesse ritmo, ele sucumbiria debaixo do peso do seu próprio ministério. Era somente uma questão de tempo. Por isso Deus o deteve, também para trazê-lo a esta cidade e submetê-lo a tratamento. E, quando ele estiver pronto, o Senhor o liberará para abençoar esta nação e lhe dará um ministério de proporções ainda maiores.

O impacto dessa mensagem foi e ainda é muito forte na minha vida. Até hoje, quando conto essa experiência, emociono-me e, ao mesmo tempo, me envergonho. Muitas vezes eu questionei a justiça e a fidelidade de Deus por ele ter permitido que esse acidente ocorresse. Eu não falava isso, mas repetidas vezes tinha esses pensamentos. E, enquanto eu assim o julgava no meu coração, ele estava cuidando de mim! O Senhor estava me protegendo de algo pior; ele não me abandonou naquela hora! Ele nunca nos abandona! Ele prometeu estar conosco todos os dias até a consumação dos séculos. Jamais haverá um dia sequer na nossa vida que o Senhor não esteja ao nosso lado. O nosso problema é que tentamos compreender o agir de Deus, em vez de confiar em que ele está no controle — mesmo que de um modo estranho aos nossos olhos e à nossa maneira de pensar.

O meu coração quebrantou-se quando eu entendi o que havia acontecido. Pedi perdão ao Senhor por não ter confiado nele de todo o meu coração, por ter duvidado interiormente e murmurado contra ele. Eu sei que Deus me perdoou, mas até hoje sinto vergonha do papelão que fiz. Como fui tolo, insensato! Muitos cristãos têm feito exatamente isso. Ficam criticando Deus, enquanto ele os defende, protege e provê o melhor para eles. Somos os únicos injustos (e também ingratos) nessa história, não Deus.

Eu sei que o Espírito Santo revelará muitas coisas sobre a sua vida pessoal à medida que você prosseguir na leitura deste livro. Aconselho-o a não oferecer nenhuma resistência, e sim a quebrantar-se diante de Deus e permitir que ele o sare. Eu estava muito ferido e machucado por dentro, dadas as mentiras que o Diabo havia assoprado na minha mente. A compreensão do que Deus fez, sem que eu percebesse, curou-me por completo e revelou-me uma nova dimensão do amor e do cuidado dele por mim. Muitas outras verdades bíblicas começariam a ser desvendadas diante dos meus olhos a partir dessa revelação.

Até então, se eu ouvisse alguém ensinar o que hoje estou ensinando, discordaria e possivelmente até entraria em choque com a pessoa. A influência que eu recebi do "ensino da fé" fez que eu criasse uma fantasia de que o cristão deveria ser intocável.

Eu recebi uma grande influência dos ensinos de Kenneth Hagin, Dave Roberson e outros mestres da fé. Louvo a Deus pela vida e ministério deles, pois têm sido instrumentos de Deus para o resgate da vida vitoriosa que há em Jesus; além disso, eles vivem o que pregam. Contudo, o Senhor começou a mostrar-me que eu havia desenvolvido *uma mentalidade errada com base em princípios corretos*.

De fato, Deus prometeu vitória sobre o Inimigo, mas isso não significa que eu nunca sofreria um acidente como o que sofri, pois foi uma vitória sobre Satanás! Como disse o anjo, se isso não tivesse acontecido e consequentemente se eu não tivesse sido freado, poderia até mesmo ter perdido o meu ministério. Isso, sim, teria sido uma derrota! O acidente, porém, não foi uma derrota; foi uma vitória! Foi a forma com que Deus não apenas me livrou de um ritmo perigoso, mas também redirecionou o meu ministério e começou a tratar do meu caráter e da minha alma de uma forma mais profunda.

O detalhe que eu não via nesses mestres da fé é que o que eles pregavam era um alvo de vida cristã, não algo que ocorreria de forma imediata ou instantânea com ninguém, pois nem na própria vida deles foi assim. Hoje, tendo passado a fase do tratamento de Deus, eles estão em outra dimensão. Contudo, creio que Deus realmente quer que avancemos para uma dimensão mais profunda de vida cristã, e que nos movamos mais intensamente no sobrenatural e em grandes conquistas. Mas que ninguém se iluda, pois isso não acontecerá sem o tratamento de Deus na nossa alma!

O Diabo não entende o agir de Deus

Eu quero chamar a sua atenção para outro fato: não somos os únicos que não compreendemos o agir de Deus. O Diabo também não o entende!

Algo que o anjo deixou bem claro no diálogo com o pastor Francisco foi que Satanás tentou destruir-me naquele acidente, mas Deus, em sua soberania, permitiu que o Diabo agisse só até certo ponto, e Deus guardou a minha vida. Não tenho a menor sombra de dúvida de que o plano maligno era destruir um ministério que estava incomodando o reino das trevas.

O AGIR INVISÍVEL DE DEUS

A razão da investida do Adversário era esta: parar definitivamente o meu ministério. No entanto, o Diabo não conhece o futuro. Quando espíritos malignos fazem previsões que se cumprem, é porque eles estavam trabalhando com planos já conhecidos. A razão pela qual eles não conseguem acertar sempre é que o futuro só é conhecido por Deus. Se Satanás conhecesse o futuro, ele não precisaria ter tentado deter-me com aquele acidente. Bastava deixar tudo como estava, e, com o tempo, a própria pressão de um ministério que cresceria a um ritmo demasiadamente rápido me liquidaria!

O Diabo não conhece o futuro; tampouco entende o agir de Deus. O que ele me proporcionou por meio daquela investida em 1993 redundou em grande bênção! Este é o assunto deste nosso capítulo. Pelo fato de que o Diabo também não entende o agir divino, ele muitas vezes acaba trabalhando para Deus. No meu caso, ele trabalhou para Deus, e o que eu quero mostrar são vários textos e exemplos bíblicos que demonstram que isso é um fato.

Satanás tem uma forma de pensar semelhante à nossa. Logicamente, na condição de anjo caído, ele é ainda mais inteligente e astuto, e tem uma mente superior, mas a sua forma de pensar é muito parecida. É mais ou menos como se fôssemos dois computadores; um bem mais potente que o outro, mas ambos com o mesmo programa. Embora um seja mais veloz e tenha uma capacidade maior de armazenar informações do que o outro, o funcionamento é exatamente o mesmo, pois trata do mesmo programa. Jesus ensinou acerca disso:

> E Pedro, chamando-o à parte, começou a reprová-lo,
> dizendo: Tem compaixão de ti, Senhor; isso de modo algum

Satanás a serviço de Deus

te acontecerá. Mas Jesus, voltando-se, disse a Pedro: Arreda, Satanás! Tu és para mim pedra de tropeço, porque não cogitas das coisas de Deus, e sim das dos homens (Mateus 16.22,23).

O Senhor falou a Pedro e aos discípulos que era necessário que ele sofresse em Jerusalém, que fosse morto e, ao terceiro dia, ressuscitasse. Aí então Pedro tentou persuadir Jesus a pensar de forma diferente, o que era totalmente contrário ao plano de Deus. Não sei se Jesus se sentiu tentado a ter dó de si mesmo, mas o fato é que ele reconheceu que, naquela hora, Pedro estava sendo *influenciado em sua forma de pensar* por alguém mais e então repreendeu Satanás. Mas é a frase utilizada por Jesus que nos chama a atenção: "não cogitas das coisas de Deus, mas dos homens". Cogitar significa pensar. O que o Mestre disse é que a forma de pensar de Satanás não se assemelha à de Deus, mas à dos homens. Isso nos leva a concluir que, independentemente de quão astuto seja o nosso Adversário, ele também não pode entender a forma de Deus agir. Os pensamentos de Deus são mais altos, muito mais altos do que os do Diabo. Para o nosso Inimigo, o agir de Deus também é invisível e incompreensível.

A revelação do que o Senhor começou a comunicar-me em sua Palavra, após essa visão do Francisco, foi que ele age dessa forma imprevisível e invisível para propositadamente confundir Satanás e seu exército e ainda tirar proveito. Foi isso o que Deus fez no meu acidente de carro. Ele usou uma investida maligna para livrar-me de uma queda, levar-me de volta à direção ministerial que ele tinha, além de não somente liberar seu tratamento comigo, mas também me ensinar claramente essas verdades. Deus é soberano! Ele não permitiu que o Diabo

O AGIR INVISÍVEL DE DEUS

tocasse naquele carro à toa! Na verdade, o Senhor colocou uma armadilha diante de Satanás.

Ouvi, vários anos atrás, a irmã Valnice Milhomens ministrando, e ela usou na ocasião um trocadilho que eu nunca mais esqueci. Ela falou que Deus coloca "sataneiras" diante de Satanás. Depois explicou: "Quando você quer pegar ratos, você põe uma *ratoeira* como armadilha. E, como Deus não pega ratos, ele não usa ratoeira. Para pegar Satanás, ele sempre usa as 'sataneiras'.".

As "sataneiras" de Deus

Não estou baseando a ação de Deus na experiência que eu tive, mas nos muitos exemplos bíblicos que encontramos. Ao narrar a minha experiência, eu o faço como um ponto de partida, algo que gerou essas descobertas e mudou a minha forma de pensar.

Examinaremos agora algumas passagens bíblicas que mostram Deus agindo de forma que o Diabo não entendesse. A primeira delas já nos revela que Deus usou tal ocorrido para mandar *um recado* ao reino das trevas: a sua multiforme sabedoria não pode ser compreendida.

> A mim, o menor de todos os santos, me foi dada esta graça de pregar aos gentios o evangelho das insondáveis riquezas de Cristo e manifestar qual seja a dispensação do mistério, desde os séculos, oculto em Deus, que criou todas as coisas, para que, pela igreja, a multiforme sabedoria de Deus se torne conhecida, agora, dos principados e potestades nos lugares celestiais, segundo o eterno propósito que estabeleceu em Cristo Jesus, nosso Senhor (Efésios 3.8-11).

Esse texto fala sobre um mistério, um segredo, que havia séculos estava oculto, escondido em Deus. O contexto (os dois

Satanás a serviço de Deus

capítulos anteriores e o começo deste) nos revela que tal segredo era a inclusão dos gentios (ou seja, a Igreja) no plano de Deus de estabelecer seu Reino na terra. Embora se esperasse, lendo-se o Antigo Testamento, que Israel cumprisse o plano divino, Deus tinha um segredo prometido nas entrelinhas das profecias acerca de Israel, que apontava para a Igreja gentílica. Isso só veio a ser revelado nos dias do Novo Testamento (Mateus 21.33-46; Efésios 3.2-5).

A revelação do mistério foi a manifestação da Igreja, e, por meio dela, o apóstolo Paulo disse que Deus tornou a sua multiforme sabedoria conhecida dos principados e potestades nas regiões celestiais. Isso não significa, no entanto, que esses principados não conhecessem antes a sabedoria de Deus. A epístola de Tiago diz que os demônios creem em Deus e estremecem. Eles conhecem o poder e a grandeza de Deus. Contudo, quando a Igreja surgiu, isso foi algo totalmente inesperado no reino das trevas! Foi uma verdadeira "sataneira"!

O Diabo não esperava por essa! Havia uma tremenda expectativa nos dias de Jesus pela vinda do Messias, que estabeleceria o Reino de Deus, conforme havia sido claramente predito pelo profeta Daniel. Os profetas apontavam para a vinda de um rei e seu reino, e era isso que os judeus esperavam. Foi contra isso que Satanás se armou.

Para que um reino se estabeleça, é preciso pelo menos duas coisas básicas:

1) O povo do reino — os súditos.
2) O rei do reino.

Se excluirmos qualquer um desses elementos, não haverá nenhum reino. Os registros bíblicos nos revelam que Satanás fez desses elementos o seu alvo para tentar impedir a manifestação do Reino de Deus.

O povo do Reino foi citado antes do Rei, não por ordem de importância, mas de chegada. Pelo menos aparentemente, já se sabia quem era o povo do Reino, muito antes de se saber quem era o Rei. Digo "aparentemente", porque, ainda que Deus tenha feito promessas à descendência de Abraão, o que nos levaria a interpretar isso como sendo o Israel natural, a revelação que o Novo Testamento trouxe é que os filhos de Abraão não são necessariamente os da carne, mas os da fé (Romanos 2.28,29; Gálatas 4.22-31). Isso, porém, não tinha ficado claro antes da vinda de Jesus.

Portanto, era de esperar que o povo do Reino fosse o Israel natural, e o Diabo tentou destruí-lo desde o princípio da aliança de Deus com Abraão. O livro de Ester, por exemplo, é a narrativa de como o Inimigo tentou exterminar essa nação e como Deus estava sempre presente, guardando-a.

Nos anos que antecederam a vinda de Cristo, o Diabo sufocou a nação israelita debaixo de quatro grandes impérios: Babilônia, Medo-Pérsia, Grécia e, por fim, Roma. Em todos eles, Satanás tentou destruir a identidade da nação e, mesmo não conseguindo, roubou-lhe a independência e a liberdade de se preparar para ser um reino grande e forte. Contudo, isso de nada adiantou, pois, enquanto Satanás lutava para tentar prender Israel como nação, Deus levantou debaixo do nariz do Diabo a Igreja gentílica!

Isso era algo impossível de ver sem a revelação do Espírito. Era um segredo de Deus, ou seja, fazia parte do agir invisível de Deus. Ninguém imaginava que Deus estivesse preparando isso, nem mesmo o Diabo! Portanto, quando a Igreja foi levantada,

Satanás a serviço de Deus

Deus estava mostrando, por meio dela, a sua multiforme sabedoria aos principados e potestades. Foi como mandar um recado que dizia: "Não adianta! Vocês nunca entenderão nem jamais vencerão! Eu sou maior!".

O livro de Salmos diz que o Senhor rirá dos seus inimigos (Salmos 2.4). Creio que nessa hora Deus riu! Enquanto os demônios observavam atônitos o mistério de Deus e reviam o seu trabalho inútil de tentar prender o povo do Reino, creio que Deus riu! E a Igreja de Jesus Cristo é um recado eterno dessa sabedoria de Deus e do seu poder de armar "sataneiras".

Quando Satanás "se tocou" de que o povo do Reino não era necessariamente Israel, mas, sim, os que criam em Jesus e nasciam de novo (João 1.11,12), ele tentou então destruir a Igreja. Observe o que diz a Bíblia:

> E Saulo consentia na sua morte. [...] Naquele dia, levantou-se grande perseguição contra a igreja em Jerusalém; e todos, exceto os apóstolos, foram dispersos pelas regiões da Judeia e Samaria. Saulo, porém, assolava a igreja, entrando pelas casas; e, arrastando homens e mulheres, encerrava-os no cárcere (Atos 8.1-3).

Assim que veio a perseguição, a igreja perdeu o sossego, e os cristãos começaram a ser presos e até mesmo martirizados. Aí então, muitas pessoas, dada a intensidade da perseguição, começaram a fugir para outras cidades. A igreja, que logo no início já havia chegado à marca de 5 mil membros, dispersou-se, ficando apenas os apóstolos. Aparentemente, Satanás conseguira o que queria e oprimiu o povo do Reino, mas ele não sabia que essa era mais uma "sataneira"! Veja o outro lado da história: Jesus havia capacitado o seu povo com o poder do

Espírito com um único propósito: "Mas recebereis poder, ao descer sobre vós o Espírito Santo, e sereis minhas testemunhas tanto em Jerusalém como em toda a Judeia e Samaria e até aos confins da terra" (Atos 1.8).

Eles não deveriam permanecer somente em Jerusalém. A responsabilidade de serem testemunhas de Cristo envolvia começarem lá o seu trabalho; depois, deveriam espalhar-se progressivamente pelas cidades da Judeia, da Samaria e depois não poderiam parar mais! No entanto, o povo de Deus acomodou-se. O tempo passou, e eles ainda estavam em Jerusalém! Eles não estavam obedecendo a Cristo. Eles ainda não haviam se tornado uma igreja missionária. Algo precisava ser feito!

E você sabe quem acabou "ajudando"?

O Diabo! Ele mesmo! Até que Satanás enviasse essa perseguição, ninguém havia saído para pregar nas circunvizinhanças. Mas, quando o Diabo quis destruir a indestrutível Igreja de Jesus, ele caiu em mais uma "sataneira" e ajudou a espalhar o evangelho: "Entrementes, os que foram dispersos iam por toda parte pregando a palavra" (Atos 8.4).

É irônico como Deus põe o seu inimigo para trabalhar para ele. Chega a ser engraçado! Toda vez que Satanás investe contra a Igreja, ou até mesmo contra a sua vida, saiba de uma coisa, meu irmão: enquanto ele ainda está indo, Deus já foi e voltou um sem-número de vezes!

Já vimos como o Adversário tentou barrar o povo do Reino e se deu mal. Agora me permita mostrar as suas tentativas contra o Rei do Reino e como elas novamente demonstraram que a multiforme sabedoria de Deus continuava no controle.

Satanás a serviço de Deus

Várias vezes, Satanás tentou deter Jesus. No começo, foi com as tentações no deserto, mas, logo que Jesus Cristo o derrotou, os planos mudaram. Assim que ele saiu do deserto e foi para Nazaré, sua cidade, seus opositores o tiraram da sinagoga e tentaram empurrá-lo de um penhasco, mas não conseguiram matá-lo. Lucas diz que ele simplesmente saiu do meio deles. Vemos em seguida que as conspirações para a morte do Messias começaram a crescer, até que, em Jerusalém, Jesus foi traído, preso e crucificado. E o Diabo estava envolvido nessa conspiração. Foi ele que pessoalmente entrou em Judas para consumar a traição:

> Estava próxima a Festa dos Pães Asmos, chamada Páscoa. Preocupavam-se os principais sacerdotes e os escribas em como tirar a vida a Jesus; porque temiam o povo. Ora, Satanás entrou em Judas, chamado Iscariotes, que era um dos doze. Este foi entender-se com os principais sacerdotes e os capitães sobre como lhes entregaria a Jesus; então, eles se alegraram e combinaram em lhe dar dinheiro (Lucas 22.1-5).

O próprio Senhor declarou no Getsêmani, quando estava sendo preso: "esta é a vossa hora e o poder das trevas" (Lucas 22.53). Não era apenas a hora humana, dos que haviam conspirado contra Jesus, mas era a hora do poder das trevas, porque Satanás estava lutando de todas as formas para empurrar Jesus à cruz. E "conseguiu"! Não porque fosse mais forte que Deus, mas porque estava caindo em mais uma "sataneira". Jesus acabou mesmo morrendo, e houve trevas sobre a terra. Creio que, naquela hora, não se tratava apenas da natureza gemendo pela morte do seu Criador, mas também havia densas trevas de malignidade produzidas por uma reunião de todo o reino do mal. O salmo 22, que

O AGIR INVISÍVEL DE DEUS

é messiânico, alude figuradamente à presença de demônios ao redor da cruz ao falar de vários animais, como cães e touros, os quais, no aspecto natural não estavam lá.

Contudo, três dias depois, Cristo demonstrou que ele somente morreu porque quis, e que, como ele mesmo dissera, ele tinha o poder de dar a sua vida e também de retomá-la. Ele ressuscitou vitorioso sobre todo o poder das trevas e demonstrou que não apenas a sua ressurreição, como também a sua própria crucificação, significavam a derrota do Diabo. O que foi uma tentativa maligna de destruir a vida de Jesus tornou-se a derrota do próprio Satanás. Veja dois textos que dão testemunho disso:

> Tendo cancelado o escrito de dívida, que era contra nós e que constava de ordenanças, o qual nos era prejudicial, removeu-o inteiramente, encravando-o na cruz; e, despojando os principados e as potestades, publicamente os expôs ao desprezo, triunfando deles na cruz (Colossenses 2.14,15).

> Visto, pois, que os filhos têm participação comum de carne e sangue, destes também ele, igualmente, participou, para que, por sua morte, destruísse aquele que tem o poder da morte, a saber, o diabo, e livrasse todos que, pelo pavor da morte, estavam sujeitos à escravidão por toda a vida (Hebreus 2.14,15).

Um dos textos diz que, na cruz, Jesus despojou os principados e potestades e triunfou deles. Outro diz que era necessário que Jesus morresse para que, pela morte, ele destruísse aquele que tinha o poder da morte, o Diabo. A tentativa maligna de destruir Jesus virou-se contra o próprio Diabo e o destruiu! A nossa mente não poderia jamais ter imaginado que Deus escolheria um caminho tão estranho assim para vencer Satanás, dando-lhe um aparente "gostinho de vitória", enquanto usava isso para destruí-lo. Não podemos jamais entender, de modo racional, esse agir estratégico do grande Deus.

O Senhor faz questão de que assim seja, pois, nessa sua maneira de agir, não somente nós, os homens, ficamos sem entender o que está acontecendo, mas também o próprio Diabo fica sem entender absolutamente nada! E, na verdade, essa é uma das razões de Deus agir assim; levar o próprio Diabo a trabalhar para ele, muitas vezes, como servo compulsório. Há vários textos que são capazes de confundir a cabeça de qualquer um, se não forem vistos por esse prisma.

Permissões divinas para ações satânicas
Encontramos algumas vezes nas Escrituras textos que nos mostram permissões divinas para ações satânicas. Eu gostaria de chamar a sua atenção para alguns deles. Começaremos com um dos exemplos mais conhecidos (porém mal-entendidos), o de Jó, que foi duramente atacado pelo Diabo, que conseguiu permissão para furar o bloqueio da proteção divina. No entanto, quem deu essa permissão foi exatamente o Chefe da Segurança!

> Perguntou ainda o SENHOR a Satanás: Observaste o meu servo Jó? Porque ninguém há na terra semelhante a ele, homem íntegro e reto, temente a Deus e que se desvia do mal. Então, respondeu Satanás ao SENHOR: Porventura, Jó debalde teme a Deus? Acaso, não o cercaste com sebe, a ele, a sua casa e a tudo quanto tem? A obra de suas mãos abençoaste, e os seus bens se multiplicaram na terra. Estende, porém, a mão, e toca-lhe em tudo quanto tem, e verás se não blasfema contra ti na tua face. Disse o SENHOR a Satanás: Eis que tudo quanto ele tem está em teu poder; somente contra ele não estendas a mão. E Satanás saiu da presença do SENHOR (Jó 1.8-12).

O AGIR INVISÍVEL DE DEUS

Durante muito tempo, eu não aceitei o livro de Jó. Dizem que durante a Reforma Martinho Lutero quis excluir da Bíblia a epístola de Tiago, pois a sua maior revelação na Palavra havia sido a da justificação pela fé, e as afirmações de Tiago sobre as obras o incomodavam. Não sei se isso realmente foi assim, mas já desejei que o livro de Jó não estivesse na Bíblia. Como eu não podia excluí-lo, tentei encontrar explicações para o seu conteúdo.

Assim, comecei a ensinar que Jó dera uma brecha ao Diabo. Eu dizia que ele era medroso, que tinha tanto medo que seus filhos pecassem que fazia sacrifícios preventivos. Eu afirmava que a porta do medo que ele abrira permitiu que o Adversário entrasse, pois ele mesmo admitiu o seguinte: "Aquilo que temo me sobrevém, e o que receio me acontece" (Jó 3.25). Contudo, Jó somente disse isso depois que as coisas lhe aconteceram. Com relação ao que eu dizia haver sido uma brecha espiritual, ficava difícil conciliar isso com o testemunho que o Senhor dá acerca dele, de que era homem *justo e irrepreensível*. Qualquer um que estivesse dando brecha e lugar ao Diabo deveria ser considerado *repreensível*, mas esse não era o caso de Jó, pois não era o seu problema. Se Jó somente estivesse colhendo o que ele mesmo havia autorizado o Diabo a fazer em sua vida, então Satanás nem sequer teria de pedir permissão a Deus para feri-lo.

Tudo isso é bobagem. São explicações simplistas, para que fiquem de pé outras doutrinas que desenvolvemos. O fato é que esse é um exemplo de uma permissão divina para uma ação satânica. No entanto, Deus não dá esse espaço ao Diabo à toa! Isso foi mais uma "sataneira". E, no fim, Jó teve a restituição de tudo; mas o que é mais importante é que ele acabou dizendo: "Eu te conhecia só de ouvir, mas agora os meus olhos te veem"

Satanás a serviço de Deus

(Jó 42.5). No fim das contas, Jó se aproximou de Deus ainda mais. Isso faz parte do agir invisível de Deus. O Senhor está agindo, até mesmo nos momentos e circunstâncias que nos dão a impressão de que ele nos abandonou. Ele está no controle! Observe outro exemplo bíblico:

> Simão, Simão, eis que Satanás vos reclamou para vos peneirar como trigo! Eu, porém, roguei por ti, para que a tua fé não desfaleça; tu, pois, quando te converteres, fortalece os teus irmãos (Lucas 22.31,32).

Confesso que isso me assusta! É o tipo de coisa que ninguém gostaria de ouvir de Jesus. Ele chega ao apóstolo Pedro e lhe diz: "Olha, o Diabo pediu permissão para peneirar vocês para ver o que sobra!".

Estou parafraseando o que foi dito, pois o significado de "peneirar" é o seguinte: se o grão for graúdo, ele ficará na peneira; se não for, ele sairá do outro lado. O que Simão Pedro provavelmente esperava (e certamente, se fosse comigo e com você, também seria o que esperaríamos) é que Jesus dissesse "não" ao Diabo e o mandasse embora. Contudo, não foi isso o que aconteceu. Jesus comunicou a Pedro que ele deixou o Diabo "ir com tudo para cima deles", mas avisou-lhes: "Não é porque eu permiti que ele atacasse que isso significa abandono. Eu já orei por você, para que a sua fé não desfaleça. Eu estou cobrindo a sua vida!".

No entanto, a maneira com que Cristo encerrou o assunto nos mostra o que ele esperava do final daquilo tudo: "tu, pois quando te converteres, fortalece a teus irmãos".

Em outras palavras, Jesus estava dizendo que aquela prova tocaria o coração de Pedro de uma maneira tão forte que ele se converteria e mudaria radicalmente. E o benefício não seria somente dele, mas também deveria ser repartido com os irmãos, os outros discípulos.

Essa foi uma permissão divina para uma ação satânica. No entanto, isso não se tratava de um abandono, nem de um juízo, tampouco de uma injustiça da parte de Deus. Esse ocorrido foi parte do agir invisível de Deus e, com certeza, foi mais uma "sataneira", que fez que o Diabo ajudasse a fé de Pedro a fortalecer-se, em vez de destruí-la. Mais uma vez, ele trabalhou para Deus!

Nas cartas do Senhor Jesus às igrejas da Ásia, encontramos outro exemplo de uma permissão divina a um ataque satânico:

> Não temas as coisas que tens de sofrer. Eis que o diabo está para lançar em prisão alguns dentre vós, para serdes postos à prova, e tereis tribulação de dez dias. Sê fiel até à morte, e dar-te-ei a coroa da vida (Apocalipse 2.10).

Novamente vemos Jesus avisando antecipadamente que o Diabo faria algo contrário. Mas não vemos Jesus fazer nada para impedi-lo, tampouco ordenar que esses irmãos resistissem ou lutassem.

No entanto, Jesus avisa antes que as coisas aconteçam (como no caso de Pedro), para que saibamos que o controle está nas mãos dele, não nas mãos do Diabo. O que ele nos pede é fidelidade, que não permitamos que a investida do Inimigo mude a nossa fé. E isso é vitória, mesmo que não pareça.

Para mim, é difícil imaginar a razão pela qual Deus permitiria que alguém fosse preso, ainda mais em se tratando de um indivíduo lançado na prisão pelo Diabo. No entanto, sei de uma coisa: os caminhos e pensamentos de Deus são mais altos do que

Satanás a serviço de Deus

os nossos, e não há como entendê-lo em seu agir! Contudo, se ele permitiu que o Diabo fizesse algo, certamente essa era mais uma armadilha para Satanás. Deus o faria de bobo novamente.

Não estou dizendo que tudo o que o Diabo faz é uma prestação de serviços a Deus, mas que há circunstâncias em que o Senhor lhe prepara armadilhas. Satanás é como um cão preso. Ele só vai até onde o comprimento da corrente permite. Se o Senhor solta um pouco mais a corrente e permite que ele vá um pouco mais longe, isso não significa que ele esteja solto. Deus está no controle da nossa vida, e, se por acaso o Diabo tiver alguma permissão de chegar perto, não se assuste. Se você é um servo de Deus e isso acontecer com você, saiba que o Senhor o enredou para que ele trabalhasse por você. Um dos textos que mais nitidamente mostra Satanás sob o controle divino encontra-se no livro de Apocalipse:

> Então, vi descer do céu um anjo; tinha na mão a chave do abismo e uma grande corrente. Ele segurou o dragão, a antiga serpente, que é o diabo, Satanás, e o prendeu por mil anos; lançou-o no abismo, fechou-o e pôs selo sobre ele, para que não mais enganasse as nações até se completarem os mil anos. Depois disto, é necessário que ele seja solto pouco tempo. [...] Quando, porém, se completarem os mil anos, Satanás será solto da sua prisão e sairá a seduzir as nações que há nos quatro cantos da terra, Gogue e Magogue, a fim de reuni-las para a peleja. O número dessas é como a areia do mar. Marcharam, então, pela superfície da terra e sitiaram o acampamento dos santos e a cidade querida; desceu, porém, fogo do céu e os consumiu. O diabo, o sedutor deles, foi lançado para dentro do lago de fogo e enxofre, onde já se encontram não só a besta como também o falso profeta; e serão atormentados de dia e de noite, pelos séculos dos séculos (20.1-3,7-10).

Na hora certa de Satanás ser preso, não será necessário mais do que um anjo. Somente um anjo já dará conta do recado. Isso mostra que o Diabo não é tão grande como alguns crentes às vezes o "pintam", pois o nosso Deus é o Todo-poderoso. Satanás tem poder, mas não todo o poder. Isso somente o nosso Deus tem! Na hora certa, determinada por Deus, o Diabo será preso e permanecerá preso por mil anos, mas depois é necessário que ele seja solto por um pouco de tempo.

Observe a expressão "é necessário que". Isso mostra que o Diabo precisa ser solto. Precisa por quê? Porque ele fará mais um último trabalho para Deus!

É claro que ele nunca acha que está trabalhando para Deus. Caso contrário, deixaria de agir. Entretanto, ao fim de muitas empreitadas, não resta a menor dúvida de que ele acabou caindo em muitas "sataneiras". Após mil anos de um reinado de paz e justiça, com a presença física de Jesus na terra, com tudo em plena harmonia e, além disso, sem o Diabo azucrinando a vida de ninguém, ainda assim haverá pessoas que se rebelarão contra o Senhor, pessoas que por fora se renderam ao senhorio de Cristo, porém não internamente. E Satanás fará o trabalho da "peneira", para ver quem é quem. Depois, ele e os que se rebelarem serão julgados e lançados no lago de fogo.

Até a sua última hora, Satanás estará sob o controle divino, prestando serviços. Sei que estou falando com certa ironia, mas eu quero tentar chocar os que acham que o Diabo está fora de controle. É verdade que, quando alguém dá direitos legais para que Satanás aja em sua vida, ele entra destruindo tudo, e Deus não se agrada disso. Contudo, neste caso não foi Deus que mandou o Diabo fazer o serviço. Não podemos negar, no entanto, que, ao criar os princípios espirituais, Deus criou também um risco de ver o seu inimigo atacando alguém, e com direito para isso. Contudo, não significa que Deus manda o Diabo fazer o serviço sujo. Não, mil vezes não! Mas, mesmo assim, Deus tem o poder de levar as circunstâncias negativas, que não eram do seu agrado que acontecessem, a outra dimensão, em que bênçãos poderão redundar do ocorrido. É importante lembrar que Deus é presciente, ou seja, ele sabe de todas as coisas, mesmo antes que aconteçam. Ele sabe onde o Diabo atacará e quais danos causará. Ele sabe como reverter as situações e como transformá-las em benefícios, mesmo antes que ocorram.

CAPÍTULO 3

Mais que vencedores

Aqueles que não permitem que Deus trabalhe neles,
nunca podem trabalhar para ele.
— WATCHMAN NEE

O EVANGELHO DE JESUS É UM evangelho vitorioso. A Bíblia diz que Deus "sempre nos conduz em triunfo" (2Coríntios 2.14). Portanto, podemos dizer que o evangelho é triunfo, em termos finais. O apóstolo João declarou que "todo o que é nascido de Deus vence o mundo". O nascer de Deus faz que sejamos participantes da natureza divina. E como Deus é um Deus de vitória, temos toda a capacitação para vencer. "Mas em todas estas coisas somos mais do que vencedores, por aquele que nos amou" (Romanos 8.37, *Almeida Revista e Corrigida*).

Isso é muito claro nas Escrituras: fomos chamados para vencer! No entanto, o ensino concernente a isso tem gerado muita polêmica no Corpo de Cristo nestes dias, não porque seja difícil compreendermos, pela Palavra de Deus, que a nossa caminhada é vitoriosa, mas porque o nosso conceito de vida vitoriosa está muito aquém do que a Bíblia ensina. Fantasiamos demais, e achamos que seremos totalmente intocáveis, mas a Palavra de Deus não ensina isso. O que ela ensina e promete é "vitória" — sempre e em todas as circunstâncias! Mas, se há algo que precisamos entender melhor é o que é "vitória" e como e quando ela ocorre na nossa vida. Assim, poderemos nos livrar do "triunfalismo" aparatoso e exagerado.

"Vencer" é prevalecer sobre o inimigo na batalha. Não se trata de sermos inatingíveis, mas de prevalecer sobre o Inimigo. Muitas pessoas têm pregado nos nossos dias um evangelho que dá garantia sobre tudo.

"Se você não quer mais problemas, venha a Jesus [e à igreja...], e tudo estará bem!", dizem por aí.

Desde o começo do meu ministério, eu pregava e acreditava sinceramente nesse tipo de vitória — não com essa intensidade, nem com essas palavras, mas muitas vezes eu dava a entender exatamente isso. Eu dizia às pessoas que, se elas realmente cressem nas promessas do Senhor, estariam levantando o escudo da fé e não seriam, de forma alguma, atingidas pelo Maligno, em tempo algum.

A minha pregação não era fruto somente da influência de outros ministérios que proclamavam esse tipo de vitória, mas principalmente porque eu vivia isso. Eu tive tremendas experiências de livramento de Deus. Em uma delas, numa tentativa de assalto onde o ladrão colocou uma arma no meu rosto, houve uma interferência angelical, e a história terminou com eu evangelizando o assaltante, que acabou não levando nada. Por causa do que eu mesmo experimentara, acabava dando muita ênfase nisso.

O Senhor, no entanto, abriu os meus olhos e me levou a escrever este livro, para que ele também abrisse os olhos do seu povo. Contudo, não estou escrevendo contra quem tem pregado dessa forma. Eu creio que a maioria dos pregadores que dão essa ênfase é sincera e ainda não descobriu, no ensino convencional, uma clareza bíblica que a leve os ver esse assunto com mais profundidade. Ainda assim, prefiro que alguém exagere na ênfase da nossa vitória, em vez de pregar um evangelho conformista, de derrota. Contudo, desejo muito mais que os cristãos em geral compreendam a vitória bíblica, do ponto de vista de Deus, em vez de proclamarem uma vitória utópica.

Toda vez que eu citava Romanos 8.37, falava como somos *mais que vencedores*. No entanto, para mim, a ideia de "mais que vencedor" era que não apenas éramos "vencedores", mas que estávamos num patamar bem mais alto. Em outras palavras, se o fato de eu ser "vencedor" já era bom, ser "mais que vencedor" era ainda melhor, mais intenso! Para mim, "mais que vencedor" significava vitória de sobra. Contudo, depois

Mais que vencedores

que Deus começou a desvendar os meus olhos para que eu compreendesse o seu tratamento na minha vida, uma das primeiras coisas que ele me falou foi com relação a corrigir o meu conceito desse versículo.

Um dia, o Espírito Santo falou comigo enquanto eu lia essa passagem. Ele me questionou com relação à expressão "mais que vencedor". Eu sabia muito bem por que ele me perguntava isso. Não era porque ele precisava saber o que eu pensava — uma vez que ele tudo sabe —, mas para me fazer meditar no assunto. Respondi que *achava* que se tratava de um nível mais elevado de vitória, daquele andar triunfalista que eu antes pregava. Imediatamente, o Senhor falou comigo que na vida espiritual não há dois patamares de vitória (o do "vencedor" e o do "mais que vencedor"). "Vencedor" é o que há de mais elevado. Ou vencemos, ou somos derrotados. Em seguida, o Espírito me disse que "mais que vencedor" significa que, além de vencermos a batalha, no fim dela seremos algo mais! Não só terminaremos como vencedores, mas também seremos algo mais.

Com base nessa afirmação, o Espírito Santo conduziu--me a um passeio pelas Escrituras, começando pelo contexto imediato desse versículo e estendendo-se a muitos exemplos e declarações bíblicas que comprovam isso.

No fim de cada batalha contra as circunstâncias adversas, não seremos apenas vencedores, mas também teremos sido "tratados" por Deus na nossa alma.

O "tratamento" de Deus

Chamo de "tratamento" o amadurecimento que o Senhor produz na nossa vida em meio às provas e tribulações. O nosso caráter é aperfeiçoado, enriquecido em meio à adversidade. Isso não significa, porém, que o crescimento vem somente dessa forma.

Há muitas formas de crescer espiritualmente: o envolvimento com a Palavra, que é o nosso alimento espiritual; o ensino e a ministração dos mais maduros; a nossa vida de oração pessoal e as respostas e experiências que dela decorrem. Há tantas coisas que podem ser mencionadas! Mas, ao falar de "tratamento", refiro-me à forma de Deus tratar com as áreas difíceis da nossa vida, especialmente aquelas em que não queremos ou não permitimos que o Senhor aja em nós e nos transforme profundamente.

O contexto da afirmação de que *somos mais que vencedores* nos mostra isso. O versículo começa dizendo: "Mas em todas estas coisas". A palavra "mas" revela que, independentemente do que foi mencionado antes, a vitória nos pertence e chegará a nós! E a expressão "em todas estas coisas" mostra que a vitória não somente virá, mas também *em meio a que condições* ela virá.

O que são "todas estas coisas" a que Paulo se refere? O próprio texto bíblico responde. Basta que o examinemos em seu contexto:

> Quem nos separará do amor de Cristo? Será tribulação, ou angústia, ou perseguição, ou fome, ou nudez, ou perigo, ou espada? Como está escrito: Por amor de ti somos entregues à morte o dia todo; fomos considerados como ovelhas para o matadouro. Mas em todas estas coisas somos mais que vencedores por aquele que nos amou (Romanos 8.35-37, *Tradução Brasileira*).

Veja exatamente o que o apóstolo Paulo mencionou com a intenção de descrever "todas estas coisas":

- tribulação
- angústia
- perseguição
- fome
- nudez
- perigo
- espada

Aqui temos a resposta do que são "todas estas coisas", e isso não se parece com um evangelho em que o cristão é intocável. Contudo, não é tampouco a forma pela qual devemos viver, mas algo a que, ocasional e temporariamente, podemos estar sujeitos. Observe que não estou dizendo que *temos* que passar por essas coisas, mas que *podemos* passar por elas (pode ser que aconteçam, pode ser que não). Mesmo assim, se acontecerem, serão ocasionais e temporárias. O quadro de tribulação certamente será mudado, pois, nessas coisas, somos mais que vencedores! Deus não nos chamou para vivermos nelas, mas ele também nunca disse que não havia a menor possibilidade de surgirem ao nosso redor, ou até mesmo de "permanecerem um pouquinho".

Portanto, ser "mais que vencedor" não é uma isenção dessas coisas, mas é a vitória em meio a elas e apesar delas. A tribulação poderá vir e durar um tempo, mas, no fim dela, você será vencedor, pois está em Cristo. No entanto, você não apenas vencerá, mas também chegará ao fim da luta e da adversidade mais maduro, mais forte, e experimentará um tratamento todo especial de Deus em seu caráter cristão. As tribulações vêm e vão, mas, se permanecermos firmes no Senhor, sempre as venceremos! Além disso, quando elas se vão, nos deixam melhores que antes. É o que diz a Bíblia:

> Meus irmãos, tende por motivo de toda alegria o passardes por várias provações, sabendo que a provação da vossa fé, uma vez confirmada, produz perseverança. Ora, a perseverança deve ter ação completa, para que sejais perfeitos e íntegros, em nada deficientes (Tiago 1.2-4).

Algumas deficiências são tratadas em nós pelo poder das provas, as quais são permitidas pelo Senhor para que possamos chegar a ser perfeitos e íntegros, ou completos.

Não creio que o Senhor quer fazer que soframos, mas a nossa teimosia e a nossa rebeldia nos impedem de aprender. Penso que, quanto mais maleáveis e tratáveis formos, e quanto mais correspondermos com rendição ao Senhor, menos tratamentos teremos. Não creio, porém, que haja um indivíduo tão perfeito e puro, com um domínio tal do seu coração enganoso, que não precise passar por nenhuma espécie de tratamento. Até mesmo Jesus, sem nunca ter pecado, passou por isso:

> Ele, Jesus, nos dias da sua carne, tendo oferecido, com forte clamor e lágrimas, orações e súplicas a quem o podia livrar da morte e tendo sido ouvido por causa da sua piedade, embora sendo Filho, aprendeu a obediência pelas coisas que sofreu e, tendo sido aperfeiçoado, tornou-se o Autor da salvação eterna para todos os que lhe obedecem (Hebreus 5.7-9).

Jesus — como homem — aprendeu a obediência pelas coisas que sofreu. A Bíblia diz que ele foi aperfeiçoado em meio ao sofrimento (esse é o propósito das provas). E, se até mesmo ele passou por esse processo, o que nos leva a pensar que estamos isentos e que essas coisas não acontecerão conosco?

O Pai celestial tem uma indescritível habilidade de aproveitar as circunstâncias, mesmo as mais negativas, e usá-las

Mais que vencedores

positivamente na nossa vida. Isso não quer dizer que sempre viveremos nelas. Temos uma promessa de vitória! As tribulações chegarão ao fim, e nós teremos o livramento do Senhor; mas, quando elas tiverem terminado, deixarão um tratamento divino no nosso caráter, o qual ocorreu durante essas circunstâncias aparentemente negativas.

No meu caso, por exemplo, no acidente de carro que sofri, tive perdas materiais. Tudo o que perdi me foi restituído de forma multiplicada depois, mas, até que isso acontecesse, eu não conseguia entender por que Deus havia permitido que Satanás roubasse os meus bens. O momento da restituição foi a vitória que eu esperava, mas, quando ela veio, descobri que eu não apenas havia vencido, mas que também havia me tornado mais que vencedor naquela situação, pois aprendera muito acerca de valores.

A nossa mente está muita presa a valores materiais somente. Pensamos em números e com um cifrão na frente. Eu avaliava as minhas perdas usando a calculadora — quanto eu havia perdido no carro, em roupas, em livros, e coisas assim. Mas, quando Deus começou a mostrar-me os lucros, vi que tais dividendos não podiam ser somados numa calculadora. O fato de o Senhor ter impedido que eu caísse e comprometesse a minha vida espiritual e ministerial, como também de ter me conduzido ao lugar e à obra que ele tinha para a minha vida, não pode ser medido em números! Hoje, eu pagaria muitas vezes mais do que aparentemente perdi naquele acidente, para poder ter as coisas que com ele me advieram. Para o nosso Deus, não há nada que não possa redundar em bênção na vida dos que o amam e estão em seu propósito eterno. Romanos 8.28 diz: "Sabemos que todas as coisas cooperam para o bem daqueles que amam a Deus, daqueles que são chamados segundo o seu propósito".

Não há nada, absolutamente nada, que nos possa acontecer que fuja do controle de Deus. Ele conhece todas as coisas antecipadamente. Ele também conhece o futuro e onde cada experiência do passado será útil. A sua soberania é impossível de ser descrita ou explicada.

Há certas tribulações que podem transformar a nossa vida, forjando em nós um melhor caráter para os propósitos de Deus. Muitas pessoas só conhecem os verdadeiros valores em meio às perdas materiais. Jó foi alguém que conheceu a bênção da prosperidade, mas, em meio às perdas, ele conheceu valores do seu relacionamento com Deus que eram ainda mais profundos que os que ele possuía antes, a ponto de poder dizer: "Antes eu te conhecia só de ouvir falar, mas agora meus olhos te veem" (Jó 42.5).

Em determinadas ocasiões de dificuldades, teremos de aprender a depender de Deus somente. Estamos sendo tratados. Estamos sendo levados para o matadouro. Estamos morrendo para o nosso "eu", triturando a nossa carne. José passou por anos de provas terríveis. Ele foi vendido como escravo pelos seus irmãos, distanciou-se de sua família, e foi sujeito a uma grande vergonha e humilhação. Contudo, ele não se entregou. Ele lutou até tornar-se o mais alto funcionário na casa em que entrou como escravo. Quando parecia que as coisas estavam se acalmando, ele foi preso injustamente por sua lealdade ao seu senhor. Na prisão, lutou contra as circunstâncias e chegou a ser chefe dos presos em seus trabalhos. Somente depois de muitos anos é que veio a vitória. Ele foi promovido a governador e livrou o seu povo de ser destruído pela fome. Não creio, porém, que foi só isso e nada mais. Havia um novo homem dentro de José, amadurecido pelas provas, digno de governar, que reconhecia que todas as coisas estavam sob o controle de Deus, a ponto de dizer o seguinte aos seus irmãos: "Vós, na verdade, intentastes o mal contra mim; porém Deus o tornou em bem, para fazer, como vedes agora, que se conserve muita gente em vida" (Gênesis 50.20).

Quem dera cada um de nós pudesse ver essa soberania de Deus sobre as nossas circunstâncias, como José viu! Isso, no entanto, não acontece sem as provações. São nelas que aprendemos a ver Deus numa dimensão mais profunda.

Infelizmente, nos nossos dias, o evangelho diluído que se prega está formando uma geração de medrosos e covardes, que correm diante das adversidades. Contudo, uma reviravolta está por acontecer! O Senhor levantará um exército cuja fé estará firmada nele, não nas circunstâncias, e o Diabo não poderá barrá-los com nada. Esse dia se aproxima, e este livro que você tem em mãos é uma convocação divina para que você se una a esse exército. O Senhor quer uma geração de cristãos valorosos, que realmente podem tudo naquele que os fortalece.

Podendo tudo em quem nos fortalece

A grande maioria dos cristãos de hoje não entende a clássica afirmação de Paulo, que tanto repetimos: "Tudo posso naquele que me fortalece" (Filipenses 4.13). Memorizam esse versículo, colocam-no em muitos lugares na forma de adesivo (na porta de casa, no vidro do carro, em capas de cadernos), pintam-no em camisetas, fazem tudo com ele, mas não o entendem.

"Poder tudo em Deus" não reflete somente a força para vencermos, mas também para suportarmos as circunstâncias até que venha a vitória. Quando examinamos o contexto dessa afirmação, vemos que é exatamente sobre isso que Paulo falava:

O AGIR INVISÍVEL DE DEUS

> Alegrei-me, sobremaneira, no Senhor porque, agora, uma vez mais, renovastes a meu favor o vosso cuidado; o qual também já tínheis antes, mas vos faltava oportunidade. Digo isto, não por causa da pobreza, porque aprendi a viver contente em toda e qualquer situação. Tanto sei estar humilhado como também ser honrado; de tudo e em todas as circunstâncias, já tenho experiência, tanto de fartura como de fome; assim de abundância como de escassez; tudo posso naquele que me fortalece. Todavia, fizestes bem, associando--vos na minha tribulação (Filipenses 4.10-13).

Tanto no versículo 10 como no 14, Paulo mencionou que ele estava numa tribulação, ou seja, em necessidades materiais. Os irmãos intervieram com uma ajuda, uma oferta amorosa para o seu sustento, e ele lhes disse que esta veio ao encontro da sua necessidade do momento, ou, como ele mesmo denomina, da sua pobreza. O apóstolo, no entanto, não estava reclamando da sua privação, mas dizendo que aprendera a viver contente em toda e qualquer situação.

Observe isto: ele aprendeu o contentamento, o que significa que, no início da sua carreira cristã, ele não tinha essa virtude. E onde foi que ele aprendeu a exercer essa virtude? Em meio à abundância ou à falta? É claro que foi na falta, pois é em circunstâncias como essa que Deus administra que tratamentos aplicará conosco.

Quando chegou a provisão enviada pelos irmãos filipenses, Paulo teve a vitória sobre sua privação e necessidade. Contudo, ele não apenas venceu, mas também foi *mais que vencedor*. Ele venceu e aprendeu o contentamento; aprendeu que a sua alegria em Deus independe do que acontece no lado de fora, e deve estar presente em toda e qualquer situação; aprendeu que não são as circunstâncias que devem reger os nossos sentimentos,

Mais que vencedores

mas, sim, a nossa confiança no Deus da vitória. Ele foi tratado pelo Senhor, a ponto de se desapegar completamente das coisas materiais e viver contente pelo fato de que Deus é maior do que os nossos problemas e intervém neles.

Paulo disse ainda que ele tinha experiência em tudo, tanto na abundância como na falta e escassez, e que, independentemente do tipo de situação pela qual tivesse de passar, ele podia todas as coisas naquele que o fortalecia: Deus. Vemos claramente que "poder todas as coisas" não significa uma isenção de tribulações, tampouco vencê-las tão logo cheguem, mas suportá-las paciente e confiantemente, sabendo que a vitória do Senhor é certa e que ela chegará a tempo.

O Senhor está à procura de homens e mulheres que permitam que ele aja neles nessa questão e que se transformarão em soldados valorosos, com muito poder de fogo, para darem muita dor de cabeça ao Diabo!

Já é tempo de deixar de lado o nosso egoísmo, como se o evangelho fosse apenas um meio pelo qual temos os nossos sonhos realizados. Não servimos a Deus por causa do que ele faz, mas por causa do que ele é! Não estou negando que Deus faz, pois ele realmente faz, e faz muito pelos seus. O que eu estou afirmando é que o que ele faz para nós não é mais importante que aquilo que ele é!

Quando Moisés queria um nome para anunciar a Israel quem era aquele que se revelara a ele na sarça, Deus chamou a si mesmo de "Eu Sou". Quando alguém chega a ponto de servir ao Senhor com base no que ele é, independentemente do que ele faz, esse indivíduo está num lugar em que Satanás não consegue prendê-lo em seu ministério.

O AGIR INVISÍVEL DE DEUS

O apóstolo Paulo estava dizendo que, tendo a provisão material em abundância ou não, ele vivia contente de qualquer forma, pois, muito acima dos milagres de provisão — que sempre aconteciam em sua vida —, havia aprendido a relacionar-se com Deus e a fortalecer-se nele.

Isso é ser "mais que vencedor". Além de vencermos as circunstâncias que surgem, também crescemos com elas.

Olhando para o alto

Fomos chamados para viver acima das circunstâncias e termos os nossos olhos no Senhor. As Escrituras Sagradas nos dizem que Satanás veio para roubar, matar e destruir (cf. João 10.10). Essa era uma das menções bíblicas que eu mais gostava de pregar, dando ênfase ao fato de que Cristo, por sua vez, veio para nos dar vida, e vida com abundância. Eu sempre dizia que o Diabo vive tentando roubar a saúde, o dinheiro e a família de cada ser humano, pois ele não quer que ninguém seja feliz com as bênçãos de Deus. Mas o fato é que o Maligno não está tão preocupado com essas coisas. Elas não são o seu verdadeiro alvo. O que ele verdadeiramente quer é roubar a nossa fé e o nosso relacionamento com Deus. Este é o seu fim, o seu grande objetivo. No entanto, roubar a nossa saúde, o nosso dinheiro e a nossa família é o meio que ele usa para conseguir chegar ao seu real objetivo.

Portanto, precisamos aprender a viver olhando para o alto, com os olhos fixos no Senhor (e em suas promessas) em todo o tempo, independentemente das circunstâncias à nossa volta.

O processo de sermos "mais que vencedores" tem a ver com isso. No fim da prova, Deus não somente nos dá a vitória, mas também nos ensina a apegarmo-nos mais a ele, vivendo em quaisquer circunstâncias. A atual geração de cristãos vive olhando somente para as coisas terrenas, portanto não tem os olhos em Deus. A nossa pregação em geral só enfatiza o que é terreno e quase não faz que as pessoas olhem para o celestial. Entretanto, segundo a exortação bíblica, devemos levantar os nossos olhos:

> Portanto, se fostes ressuscitados juntamente com Cristo, buscai as coisas lá do alto, onde Cristo vive, assentado à direita de Deus. Pensai nas coisas lá do alto, não nas que são aqui da terra; porque morrestes, e a vossa vida está oculta juntamente com Cristo, em Deus (Colossenses 3.1-3).

Note o mandamento da Palavra, que vem como um imperativo: "Buscai e pensai nas coisas do alto, não nas que são da terra"! Em toda a Bíblia, encontramos advertências quanto a ter os olhos no alto, em vez de na terra.

No Tabernáculo de Moisés, que Deus mandou que o líder construísse segundo o exato modelo das visões que ele tivera no monte, é impressionante a ênfase figurada que o Senhor deu a esse assunto. Quando mandou Moisés fazer as quatro coberturas que se sobrepunham como teto da Tenda da Congregação, o Pai celestial mandou que todas elas fossem bordadas e embelezadas. Elas eram um verdadeiro espetáculo artesanal, que ninguém hoje poderia reproduzir, pois a sua arte não era meramente humana. Deus havia enchido os artesãos com o seu Espírito, para que pudessem executar o modelo divino ordenado. Portanto, quando alguém entrava na Tenda da Congregação, para ver algo belo essa pessoa teria que olhar para cima, para o alto. Mas, se ela mantivesse os olhos no chão, não veria beleza alguma, pois Deus nunca mandou que eles fizessem nenhum tipo de piso. Onde quer que acampassem, eles se utilizavam da própria terra do local. Enquanto o teto era indescritivelmente belo, o piso era feio, de terra.

Assim também acontece na vida cristã. A beleza do andar com Deus surge quando aprendemos a olhar para o alto, para o próprio Deus e para as coisas celestiais. Não há beleza alguma numa vida de preocupação com as coisas terrenas somente. Não há nada espiritualmente belo num evangelho que só enfatiza o dinheiro e os caprichos deste mundo, como se isso fosse a prosperidade bíblica. Não se engane! Os nossos olhos devem fixar-se bem acima do que é terreno — sejam os atrativos deste mundo sejam as circunstâncias negativas que nos cercam. Devemos olhar para o alto em todo o tempo.

Os cristãos que só se preocupam com o dinheiro e com os seus negócios não servirão ao propósito divino da colheita de almas, pois, para termos a sensibilidade espiritual de vermos a necessidade dos perdidos, precisamos tirar os olhos das coisas terrenas e levantá-los para os céus. O próprio Jesus disse: "Erguei os olhos e vede os campos, pois já branquejam para a ceifa" (João 4.35).

Por que o Mestre disse isso a seus discípulos? Porque, enquanto eles somente pensaram em buscar comida e saciar a sua fome naquela aldeia de samaritanos, Jesus esforçou-se em ganhar aquela mulher que estava junto ao poço de Jacó, e ela, por sua vez, trouxe praticamente toda a aldeia para ouvi-lo. Então ele lhes disse que, se nossos olhos estiverem no chão, cuidando apenas das coisas terrenas, não enxergaremos os campos brancos para a ceifa, ou seja, não teremos a sensibilidade de ver a necessidade espiritual das pessoas. Temos que olhar para o alto se quisermos ser úteis ao Senhor, pois os que só

Mais que vencedores

olham para o chão desanimam-se nas horas difíceis e deixam de servi-lo. Por outro lado, com relação aos que têm os seus olhos no Senhor, não há nada que possa detê-los.

Prender os olhos ao chão é o grande plano satânico contra a nossa vida. Ao atacar a nossa saúde, família e bens, o que o Maligno quer, de fato, é desviar os nossos olhos do Senhor, fazendo que se fixem somente no chão, no terreno, ainda que, como dizia meu pai, desviar os olhos da terra não significa tirar os pés do chão (a perda do pragmatismo e da disciplina). Há um texto bíblico que revela essa astúcia do Inimigo em seus ataques.

> E veio ali uma mulher possessa de um espírito de enfermidade, havia já dezoito anos; andava ela encurvada, sem de modo algum poder endireitar-se. Vendo-a Jesus, chamou-a e disse-lhe: Mulher, estás livre da tua enfermidade; e, impondo-lhe as mãos, ela imediatamente se endireitou e dava glória a Deus (Lucas 13.11-13).

Essa mulher andava encurvada havia quase duas décadas, e não havia meios de se endireitar, pois a sua doença era espiritual, não física. Tratava-se de um espírito maligno de enfermidade, um agente de Satanás que prendia o seu corpo. Há uma figura aqui. Essa mulher vivia olhando somente para o chão. As suas costas encurvadas a impediam de andar olhando para cima. Podemos ver em operação na vida dessa mulher o verdadeiro plano maligno contra cada cristão. Cristo disse que ela estava numa prisão de Satanás:

"Por que motivo não se devia livrar deste cativeiro, em dia de sábado, esta filha de Abraão, a quem Satanás trazia presa há dezoito anos?" (Lucas 13.16).

O agir invisível de Deus

O fato de que ela estava numa prisão de Satanás não quer dizer que o próprio Príncipe das Trevas a prendia pessoalmente, pois já vimos que se tratava de um enviado dele, um espírito de enfermidade, que realizava o trabalho. Jesus, no entanto, mostrou que tal espírito maligno só estava cumprindo as ordens do seu chefe, o que nos permite ver que o plano era de Satanás, mas a execução era do seu subalterno.

Por que é importante notar isso?

Para entendermos que o Inimigo não nos ataca só por atacar. Ele tem planos e estratégias para tentar nos derrubar, por isso devemos nos prevenir contra ele!

Que tipo de prisão era essa que Jesus mencionou? Não era a doença, nem o espírito de enfermidade em si, mas a situação para a qual ele havia levado essa mulher. Ela não podia olhar para o alto. É isso que o Diabo quer, que desviemos os nossos olhos de Deus. Essa mulher era uma crente da época, pois foi chamada de "filha de Abraão", referência dada por Jesus não só por ela ser naturalmente descendente do patriarca, mas também por esperar na promessa divina feita a ele. Além disso, vemos que ela estava na sinagoga, que poderíamos chamar de "igreja da época". Não se tratava de uma pecadora qualquer, que não queria nada com Deus, mas de alguém que o temia, que cria nele e que queria andar em sua presença.

Semelhantemente, Satanás tenta nos prender com os nossos olhos voltados para o chão, para que não olhemos para cima. E por que ele nos ataca dessa forma? Porque não pode nos arrancar das mãos de Deus, como Jesus mesmo falou:

As minhas ovelhas ouvem a minha voz; eu as conheço, e elas me seguem. Eu lhes dou a vida eterna; jamais perecerão,

Mais que vencedores

e ninguém as arrebatará da minha mão. Aquilo que meu Pai me deu é maior do que tudo; e da mão do Pai ninguém pode arrebatar. Eu e o Pai somos um (João 10.27-30).

O Diabo jamais poderá nos tirar das mãos de Jesus. Nunca! Temos um claro pronunciamento de Jesus Cristo nesse sentido. Mas ele ataca com sutileza. Ele quer nos indispor com o Senhor, fazendo que nos voltemos contra ele, porque assim seremos nós mesmos que desceremos dos braços do Senhor e ficaremos expostos.

No livro de Apocalipse, o Senhor fez menção da doutrina de Balaão, que ensinou Balaque a lançar tropeços diante dos filhos de Israel, para que pecassem (Apocalipse 2.14). Lemos em Números que Balaque contratou Balaão para amaldiçoar Israel, pois ele tinha medo de ser destruído pelos israelitas na batalha. Deus advertiu Balaão de não ir atrás de Balaque, mas ele amou o prêmio da injustiça e desobedeceu. Contudo, não conseguiu amaldiçoar o povo do Senhor, pois, em cada uma das quatro vezes que tentou fazê-lo, Deus transformou as suas palavras em bênçãos sobre os israelitas. Vendo que nada podia contra o povo, Balaão aconselhou Balaque, rei dos moabitas, a enviar as mulheres do seu povo ao arraial dos filhos de Israel, para que se prostituíssem com elas e então os levassem a adorar os seus deuses.

Qual foi o pensamento de Balaão?

Ele viu que era impossível tocar no povo, pois eles estavam sob a proteção divina, e com Deus ninguém pode. Assim sendo, a única saída seria pôr o povo contra Deus. Por meio do pecado da prostituição e da idolatria, o povo se afastou do Senhor, o que os deixou vulneráveis, e a ira do Senhor acendeu-se contra eles. O que Balaão não conseguiu fazer contra o povo, ele fez que o

O AGIR INVISÍVEL DE DEUS

próprio povo fizesse contra si mesmo. É assim que o Diabo age. Uma vez que ele não pode tirar-nos das mãos do Senhor, nem fazer nada contra a nossa vida por permanecermos em Cristo, tenta colocar-nos contra o Senhor, para que saiamos do colo dele e fiquemos vulneráveis.

Essa é a razão pela qual o Maligno tenta tanto prender os nossos olhos nas coisas materiais, para que, quando ele conseguir tocar nelas, isso venha a doer em nós, a ponto de nos indispormos com Cristo. Mas, na vida dos que amam o Senhor e têm os seus olhos nele, o Inimigo não consegue isso.

Isso permite que vejamos por que Satanás investe tanto contra o que possuímos. Não é somente isso o que ele realmente quer, mas é o meio para que ele tente chegar aonde realmente quer chegar: minar a nossa fé e o nosso relacionamento com o Senhor. Mas, diante disso, podemos também enxergar por que Deus permite que o Inimigo invista contra essas áreas da nossa vida.

Cada ataque maligno pode ser visto como um tempo de treinamento e adestramento para os soldados do exército divino. No paralelo natural, nunca vemos em um quartel os soldados em preparação para a guerra passando um ano inteiro deitados em redes, com sombra e água fresca. Não! Pois isso não prepara ninguém!

Semelhantemente, o Senhor não treina o seu exército no bem-bom da vida, mas em meio às provas e tribulações. Além disso, muitas vezes Deus permite o ataque do Maligno contra os seus bens materiais, para que, no fim, você não apenas vença, mas também seja mais que vencedor, alguém tratado pelo Senhor. Enquanto Satanás nos tira algo, tentando fazer que o nosso coração egoísta se volte contra Deus, o Senhor, por sua vez, permite que isso seja temporariamente tirado, até que o nosso coração aprenda a não se apegar a isso mais do que a Deus.

Às vezes, será do interesse não só do Diabo, mas também de Deus, que algo nos seja temporariamente tirado. Percebi isso no meu acidente. Não era somente Satanás que queria tirar-me o carro e o ministério, mas, naquele momento singular da minha vida, Deus também queria muito fazê-lo. Não só para conduzir-me ao seu plano para a minha vida, mas também para fazer que eu entrasse no que aquele anjo celestial chamou de "o tratamento de Deus comigo".

Contudo, o golpe do Diabo doeu em mim porque as minhas coisas valiam mais para mim do que eu imaginava. Os meus olhos estavam no chão, e não no alto! Deus, no entanto, ensinou-me uma lição, e, como Paulo, posso dizer que eu a aprendi. Quando um homem ou uma mulher de Deus coloca os seus olhos no Senhor e persevera nisso, a vitória é certa. Tenho aprendido que os ataques mais atrozes do Inimigo, como aqueles em que pessoas chegam a ponto de morrer por Cristo, não visam tocar as circunstâncias, nem mesmo a vida dessas pessoas. Satanás não quer que elas morram, mas que, por medo da morte, neguem Jesus. Cada vez que um mártir derramou o seu sangue pelo evangelho, Satanás não ganhou; ele só perdeu! O heroísmo dos mártires somente fortaleceu o evangelho; nunca o enfraqueceu! O nosso conceito de vitória ainda é muito carnal, terreno, mas os mártires foram além disso e venceram ao Diabo (Apocalipse 12.11), pois sabiam como manter os seus olhos no Senhor. Veja um exemplo disso:

> Mas Estêvão, cheio do Espírito Santo, fitou os olhos no céu e viu a glória de Deus e Jesus, que estava à sua direita, e

O AGIR INVISÍVEL DE DEUS

> disse: Eis que vejo os céus abertos e o Filho do homem, em pé à
> destra de Deus. Eles, porém, clamando em alta voz, taparam os
> ouvidos e, unânimes, arremeteram contra ele. E, lançando-o
> fora da cidade, o apedrejaram. As testemunhas deixaram suas
> vestes aos pés de um jovem chamado Saulo. E apedrejavam
> Estêvão, que invocava e dizia: Senhor Jesus, recebe o meu
> espírito! Então, ajoelhando-se, clamou em alta voz: Senhor,
> não lhes imputes este pecado! Com estas palavras, adormeceu
> (Atos 7.55-60).

O relato bíblico diz que Estêvão, cheio do Espírito, fitou os olhos no céu. Algo que o Espírito Santo vai realizar em nós, à medida que nos rendemos a ele, é desviar os nossos olhos do chão para o céu — das coisas terrenas para as celestiais. Estêvão foi o primeiro mártir e nos deixou um perfeito modelo de vitória sobre o Inimigo. Os seus olhos estavam em Deus, não no que é terreno. Nesse texto, descobri um princípio espiritual muito forte: quando os nossos olhos estão no Senhor, somos "anestesiados" para os ataques malignos contra a nossa vida.

Estêvão foi milagrosa e sobrenaturalmente "anestesiado" por Deus contra as pedradas que o mataram. O texto diz que, enquanto o apedrejavam, ele invocava o Senhor e orava. Diz, além disso, que ele se pôs de joelhos e, à semelhança de Cristo na cruz, pediu que o pecado de seus assassinos fosse perdoado. Ninguém que está sendo apedrejado faz isso. A nossa reação imediata é cobrirmos o rosto e protegermo-nos como pudermos. Mas os olhos de Estêvão não estavam em si mesmo; estavam nos céus. Em razão disso, podemos dizer que ele foi fortalecido, ou até mesmo "anestesiado", por Deus. Seria impossível, em condições normais, que ele se ajoelhasse e ficasse olhando para o alto, sem se defender, mas algo lhe sucedeu.

Quando pusermos os nossos olhos no Senhor, independentemente da situação que estejamos enfrentando, algo também acontecerá conosco. Seremos confortados e "anestesiados" pelo Senhor, e Satanás não será vitorioso. Pelo contrário, nós é que seremos mais que vencedores!

No caso de Estêvão, o que veio além da vitória não foi o tratamento, pois ele passou à glória celestial, mas, além de vencedor, ele recebeu um galardão mais glorioso. É isso o que acontece com os mártires. Hebreus 11.35 diz que alguns não aceitaram o seu livramento porque visavam a uma recompensa maior.

Quando passamos por provas e tribulações, Deus não somente prepara a vitória para nós, que inevitavelmente virá, mas ele também usa o tempo em que nelas estamos para aplicar seus tratamentos na nossa alma. O Senhor lida com todo apego excessivo que temos às coisas terrenas e nos ensina a ter os olhos nele. Isso é ser mais que vencedores, é ser tratados por Deus e chegar ao fim das adversidades numa situação melhor do que quando entramos nelas.

Esperando no Senhor

Se a vitória só vem no fim da prova, então o que acontece até lá? Podemos dizer que o tratamento acontece dentro da prova, no tempo em que estamos esperando o livramento de Deus. O que faz alguém mais que vencedor não é uma vitória imediata, no primeiro *round* da luta. É justamente a espera que esse tratamento produz em nós.

Vivemos na época dos instantâneos — comida congelada pronta, que em poucos minutos preparamos num forno de micro-ondas; rápida locomoção e transporte, como o avião; *e-mail*, *WhatsApp* e outras coisas mais. A nossa geração não sabe

O AGIR INVISÍVEL DE DEUS

ser paciente. Por causa disso, não sabemos esperar. Vivemos ansiosos, afobados, fazendo tudo para ganhar tempo.

Contudo, quando as provas e tribulações chegam, achamos que todas as nossas orações têm que ser respondidas instanta-neamente e que tudo deve ser resolvido com urgência. Entre-tanto, como na maioria das vezes as coisas não acontecem assim, acabamos nos desesperando. Precisamos aprender a esperar, pois a espera produzirá preciosos frutos em nós se a aceitarmos.

Entre todas as promessas de Deus e o seu cumprimento há um intervalo. Esse intervalo é um período de espera até que tudo se cumpra. O mesmo se dá na adversidade. Entre o seu começo e o seu fim (com a nossa vitória) há um intervalo em que devemos esperar.

A espera produz mais resultados dentro de nós do que o que vemos fora de nós nesse tempo. Muitas pessoas acham que a espera é uma desculpa dos que não creem na intervenção imediata de Deus, mas, na verdade, ela é uma marca na vida dos que creem! A fé e a paciência caminham de mãos dadas, e não há como separá-las. Vemos isso no ensino do Novo Testamento:

> Mas desejamos que cada um de vós mostre o mesmo cuidado até ao fim, para completa certeza da esperança; para que vos não façais negligentes, mas sejais imitadores dos que, pela fé e paciência, herdam as promessas (Hebreus 6.11,12, *Almeida Revista e Corrigida*).

Ao falar sobre a perseverança e sobre não nos desespe-rançarmos em meio às lutas, o escritor dessa epístola, sob a inspiração divina, diz que é preciso que mostremos cuidado, zelo (ou, como diz outra versão bíblica, que sejamos dili-gentes) e que imitemos os que pela fé e paciência herdam as promessas, ou seja, não herdamos as promessas divinas apenas pela fé, mas pela fé e pela paciência conjuntamente. Isso não dá sustento à visão de uma fé automática, mas nos leva a ver que a espera faz parte do processo de intervenção divina na nossa vida. Abraão foi chamado de "o pai da fé" e nos deixou um exemplo a ser seguido. Vemos isso na epístola de Paulo aos Romanos, no capítulo 4, quando, após chamá-lo de "o pai da fé", o autor diz que devemos seguir as pisadas da fé de Abraão. Em Hebreus, ele é novamente apresentado como exemplo: "E assim, depois de esperar com paciência, obteve Abraão a promessa" (Hebreus 6.15).

Quando Deus fez a promessa a Abraão de dar-lhe um filho, ele tinha 75 anos de idade (Gênesis 12.4), mas, quando a promessa se cumpriu, ele já estava com 100 anos de idade (Gênesis 21.5), o que perfaz um período de espera de vinte e cinco anos.

Davi também esperou muitos anos desde o dia em que Samuel o ungiu até o dia em que ele se assentou sobre o trono de toda a nação de Israel.

A espera não é um sinal de derrota, ou de falta de fé, mas faz parte da operação da própria fé. É o período em que Deus trabalha mais dentro do que fora de nós. A espera nos amadurece, para que possamos receber o que o Senhor tem para nós. O fato de não passarmos pelo período de espera significa que não estamos prontos para a herança. O filho pródigo que o diga! Ele não quis esperar a hora certa de receber a herança e, ao antecipar-se ao momento devido, demonstrou que ainda não estava preparado para o que tinha direito de receber. E, justamente por não estar preparado, acabou perdendo tudo: o dinheiro, o tempo fora de casa, a sua moral e a sua dignidade.

Verdadeiramente, temos uma herança em Deus. Temos direito a todas as coisas que o Pai nos prometeu. Contudo, não encontramos em lugar algum da Bíblia qualquer alusão à posse instantânea delas. Quando esperamos algo da parte do Senhor em oração e fé, estamos amadurecendo para que possamos estar à altura do que viermos a receber.

Não aprecio muito as semanas de campanhas promovidas por muitas igrejas que pregam a intervenção de Deus no fim delas. Há momentos em que Deus toca a pessoa na primeira oração que ela recebe, mas, se isso não acontecer, então precisaremos ensinar essa pessoa a esperar no Senhor até que ela receba o que necessita. Não interessa se demorará um mês ou cinco anos!

Temos que ensinar o processo de espera e perseverança. Para a maioria dessas igrejas, o máximo que devemos esperar são as semanas da campanha. Depois, se nada aconteceu, "acaba ficando por isso mesmo". A grande verdade é que tais campanhas exploram a credibilidade das pessoas e as amarram nas reuniões por mais tempo, forçando-as a permanecer na igreja.

Não podemos deixar de desafiar as pessoas a crerem que o milagre e a intervenção do Senhor podem acontecer de imediato. Contudo, não podemos dar nenhuma garantia de que isso sempre será assim. Haverá momentos de espera, e neles Deus não agirá apenas nas circunstâncias externas, mas principalmente nos valores internos.

Tenho aprendido muito com Moisés com relação a esse assunto. Ele viveu cento e vinte anos, divididos em três períodos de quarenta anos.

No primeiro período, o líder hebreu levou quarenta anos para achar que podia fazer a obra de Deus. O seu engano foi apoiar-se em toda a cultura, conhecimento e educação que

Mais que vencedores

recebera no palácio do faraó. Ao fim desse tempo, ele tentou fazer a obra de Deus com sua própria força e capacidade, mas fracassou, o que o levou a fugir do Egito.

No segundo período, ele ficou no deserto mais quarenta anos, ao fim dos quais chegou à conclusão de que não poderia fazer a obra do Senhor. Até mesmo quando o Anjo do Senhor lhe apareceu na sarça e o comissionou, ele ficou se desculpando, alegando não ser a pessoa ideal para o papel. Após esse período, ele descobriu que não poderia fazer nada de si mesmo.

Foi só aí então que o Senhor o enviou como libertador, e os últimos quarenta anos da sua vida foram gastos em seu ministério. E um ministério desse porte não se forma da noite para o dia, nem em alguns anos de seminário. É necessário tempo, muito tempo, para que ocorra toda a capacitação interior. É preciso esperar, pois é na espera que Deus forja o nosso caráter.

Às vezes, no entanto, a espera não envolve somente a nossa dimensão pessoal. No caso de Moisés, os seus oitenta anos de preparação não foram apenas em razão do tempo de Deus em sua vida, mas também de outros fatores envolvidos na própria história.

Havia o tempo de Israel como nação. O Senhor havia dito antecipadamente a Abraão que a sua descendência seria escravizada por determinado período de tempo:

> Sabe, com certeza, que a tua posteridade será peregrina em terra alheia, e será reduzida à escravidão, e será afligida por quatrocentos anos. Mas também eu julgarei a gente a que têm de sujeitar-se; e depois sairão com grandes riquezas (Gênesis 15.13,14).

Contudo, ainda que Israel tivesse o seu tempo dentro do plano de Deus, isso não dizia respeito aos israelitas somente.

Para que Deus pudesse livrá-los do Egito e fazer que tomassem posse de Canaã, havia outra questão ainda: o tempo dos povos que habitavam em Canaã! Na mesma ocasião, o Senhor disse a Abraão: "Na quarta geração, tornarão para aqui; porque não se encheu ainda a medida da iniquidade dos amorreus" (Gênesis 15.16).

Para que a terra pudesse ser tirada dos cananeus e entregue ao povo de Israel, havia um tempo em que a longanimidade de Deus estaria em operação. Quando eles enchessem a medida da ira divina, esse tempo se esgotaria, o que resultaria em juízo. Ao entregar a terra de Canaã aos hebreus, o Senhor não apenas estaria cumprindo o seu plano na vida do seu povo, mas também estaria julgando os povos que o rejeitaram com os seus pecados. Essas coisas estavam acontecendo simultaneamente e tinham o seu tempo. Até mesmo antes de tudo isso ocorrer (mais de 400 anos antes), Deus já havia dito que seria assim, ou seja, essa espera era necessária e não seria mudada. Foi o que o Senhor quis dizer ao anunciá-la previamente. Dentro de todo esse contexto é que entrava o ministério de Moisés! Foi por essa razão que ele não foi aceito antes. Ainda não era a hora! Contudo, quando o tempo chegou, Deus o levantou!

Precisamos aprender a esperar no Senhor. Davi declarou: "Esperei com paciência pelo Senhor, e ele se inclinou para mim e ouviu o meu clamor" (Salmos 40.1).

Para um considerável número de pessoas entre o povo de Deus hoje, essa não é uma mensagem tão agradável, mas é bíblica. E também é um remédio para muitos que estão em crise. Não pare de crer no que Deus pode e quer fazer na sua vida! Se nada acontecer imediatamente após a sua oração, persevere em buscar o Senhor e creia que ele agirá. Espere nele até que você receba a sua resposta, e, quando tudo terminar, você verá que

Mais que vencedores

não somente venceu a tribulação, mas também se tornou mais que vencedor. Você receberá o tratamento e a operação de Deus e, ao fim do seu período de espera, descobrirá que, enquanto você aguardava no Senhor, ele não apenas agiu nas circunstâncias, mas também fez que você alcançasse mais maturidade.

Aconteça o que acontecer, saiba que Deus é soberano sobre todas as coisas, a ponto de fazer que você seja beneficiado em qualquer situação e que, se não desviar os olhos dele, nada o poderá afastar do amor e cuidado dele.

> Porque eu estou bem certo de que nem a morte, nem a vida, nem os anjos, nem os principados, nem as coisas do presente, nem do porvir, nem os poderes, nem a altura, nem a profundidade, nem qualquer outra criatura poderá separar-nos do amor de Deus, que está em Cristo Jesus, nosso Senhor. (Romanos 8.38,39)

CAPÍTULO 4

O canto do galo

Muitos homens devem a grandeza de sua vida
aos obstáculos que tiveram de vencer.
— Charles Spurgeon

O AGIR DE DEUS É INVISÍVEL aos nossos olhos; está além da compreensão da nossa mente. A multiforme sabedoria divina sempre traz surpresas, não somente a nós, mas também ao adversário da nossa alma.

É lógico que, de acordo com o que a Palavra afirma claramente sobre o próprio Deus, ou acerca do Reino e seus princípios, não devemos esperar mudanças ou surpresas. Por exemplo, se lemos na Bíblia que a salvação é pela graça, mediante a fé, não há perigo de que o Senhor mude de ideia e anule o que está escrito. Quando falamos de um agir imprevisível, referimo-nos às coisas das quais as Escrituras não falam claramente sobre como Deus agirá. Há assuntos com os quais sabemos que Deus tem um compromisso de agir porque ele o prometeu. A questão não é *se* ele agirá ou não, pois sabemos que ele certamente agirá. A questão é *como* ele o fará, e não há como prever isso.

Entretanto, de acordo com essa visão de um agir invisível aos olhos humanos, a Palavra de Deus revela princípios sobre os quais podemos estar certos de que se manifestarão na nossa vida. Quando nos rebelamos, o Senhor aplica o seu tratamento em nós. Quando nos ensoberbecemos, ele também aplica o seu tratamento em nós.

Em algumas circunstâncias, a ação divina poderá mostrar-se um tanto quanto misteriosa. Gerações anteriores à nossa costumavam atribuir a Deus todas as coisas. Recentemente, Deus levantou muitos mestres e profetas que contribuíram com o Corpo de Cristo, trazendo luz com relação a muitos princípios mal compreendidos. Assim, pudemos ver que muitas vezes o Diabo age em vidas, não por uma permissão divina, mas por uma autorização da própria pessoa, quebrando princípios espirituais e

O AGIR INVISÍVEL DE DEUS

dando assim lugar ao Maligno. Contudo, em meio a tantos princípios que vieram à luz, começamos a ir para o outro extremo. Consequentemente, outra figura distorcida de Deus começou a ser proclamada, como se o amor dele fosse posto em dúvida ao permitir que passemos por provas e tribulações. Antes, tudo parecia vir de Deus. Agora, tudo parece vir do Diabo.

No entanto, a grande verdade é que os nossos valores são tremendamente materialistas e corrompidos, e nunca conseguimos ver os valores interiores, de caráter, que precisam ser formados em nós. Contudo, se essa formação de caráter nos custar perdas materiais, podemos ter a certeza de que Deus não só aprovará, mas também verá benefícios nisso.

Há momentos em que o Senhor quer que saibamos que não somos tudo o que pensamos ser. A nossa autossuficiência e a nossa soberba impedem a ação de Deus em nós e por meio de nós. Mas, quando estamos em situações de perigo, em razão desses sentimentos enganosos e ocultos na nossa alma, podemos ter a certeza de algo: o Senhor aplicará o seu tratamento em nós.

O título deste capítulo é uma referência à maneira pela qual Deus aplicou o seu tratamento em Pedro na ocasião em que ele negou Cristo e o galo cantou. Examinemos agora a vida desse apóstolo para aprendermos com ele acerca disso.

Os discípulos eram homens falhos

Tiago, irmão do Senhor, escreveu acerca do profeta Elias, um dos maiores vultos do Antigo Testamento: "Elias era homem semelhante a nós, sujeito aos mesmos sentimentos [...]" (Tiago 5.17).

Outra versão diz que ele "era sujeito às mesmas paixões". A tradução de J. B. Phillips diz que "ele era alguém tão humano quanto nós". Isso deixa bem claro como foram os homens que

O canto do galo

Deus usou muito em toda a História: frágeis, falhos, susceptíveis à tentação, limitados em si mesmos. Não eram os super-heróis ou semideuses que pintamos na nossa imaginação. Cada um deles foi usado por Deus por dispor-se, anular-se e deixar ser tratado.

Entre os 12 apóstolos de Jesus, havia muitas coisas humanas, falhas na alma e no caráter que precisavam ser corrigidas. O sentimento de terem sido os escolhidos do Messias certamente afetou cada um deles. A honra de terem a constante companhia e intimidade de Jesus, de verem seus milagres e também de serem usados por Deus para a operação de maravilhas torna-se uma poderosa "descarga" em cima do ego de qualquer um. Inicialmente, eles ainda não sabiam como lidar com isso. A sensação de grandeza e superioridade penetrou o interior deles. Isso pode ser claramente visto em alguns episódios narrados nos Evangelhos.

Em determinada ocasião, dois deles, sem ainda entenderem a natureza do Reino que Jesus estava proclamando, quiseram tornar-se os dois homens mais influentes, depois de Jesus, em seu reinado:

> Então, se aproximaram dele Tiago e João, filhos de Zebedeu, dizendo-lhe: Mestre, queremos que nos concedas o que te vamos pedir. E ele lhes perguntou: Que quereis que vos faça? Responderam-lhe: Permite-nos que, na tua glória, nos assentemos um à tua direita e o outro à tua esquerda. Mas Jesus lhes disse: Não sabeis o que pedis. Podeis vós beber o cálice que eu bebo ou receber o batismo com que eu sou batizado? Disseram-lhe: Podemos. Tornou-lhes Jesus: Bebereis o cálice que eu bebo e recebereis o batismo com que eu sou batizado; quanto, porém, ao assentar-se à minha direita ou à minha esquerda, não me compete concedê-lo; porque é para

aqueles a quem está preparado. Ouvindo isto, indignaram-se os dez contra Tiago e João (Marcos 10.35-41).

Observe que os outros dez indignaram-se contra Tiago e João, não por aceitarem o que Jesus havia falado a eles, mas porque cada um deles também estava tomado do mesmo sentimento egocêntrico e soberbo. O restante da narrativa de Marcos mostra que Cristo teve que chamá-los para junto de si e estabelecer a ótica correta quanto ao ministério, que é baseada no serviço, não na posição:

> Mas Jesus, chamando-os para junto de si, disse-lhes: Sabeis que os que são considerados governadores dos povos têm-nos sob seu domínio, e sobre eles os seus maiorais exercem autoridade. Mas entre vós não é assim; pelo contrário, quem quiser tornar-se grande entre vós, será esse o que vos sirva; e quem quiser ser o primeiro entre vós será servo de todos. Pois o próprio Filho do homem não veio para ser servido, mas para servir e dar a sua vida em resgate por muitos (Marcos 10.42-45).

Em meio a esse desejo de "ser", a essa ânsia de posição, poder e prosperidade, Tiago e João, filhos de Zebedeu, foram confrontados por Jesus com a afirmação de que uma posição como a que lhes haviam pedido ele não podia prometer-lhes, mas beber do seu cálice (e isso fala de sofrimento) era algo que eles podiam ter a certeza de que experimentariam. Nos nossos dias, estimulamos muito a busca de poder e prosperidade, como se isso fosse a coisa mais importante que um cristão pudesse vir a experimentar; mas Deus está levantando os seus profetas para declarar que ele espera que bebamos o cálice das provações e saiamos não só como vencedores no final delas, mas também transformados por meio do seu tratamento conosco.

O canto do galo

Assim como o ouro provado no fogo torna-se mais puro, sob o tratamento de Deus em meio às adversidades e crises externas e internas, também somos aperfeiçoados. E isso faz parte do agir divino.

Até essa hora, contudo, os discípulos que Jesus escolhera ainda não haviam sido transformados interiormente nesse sentido. O curioso é que o próprio evangelista Marcos relata no capítulo anterior que tal problema já havia se manifestado no meio dos Doze e que Jesus, por sua vez, também já havia chamado a atenção deles, ensinando-lhes os conceitos corretos. Contudo, eles só haviam ouvido o Senhor, mas ainda não haviam aprendido.

> Tendo eles partido para Cafarnaum, estando ele em casa, interrogou os discípulos: De que é que discorríeis pelo caminho? Mas eles guardaram silêncio; porque, pelo caminho, haviam discutido entre si sobre quem era o maior. E ele, assentando-se, chamou os doze e lhes disse: Se alguém quer ser o primeiro, será o último e servo de todos. (Marcos 9.33-35)

Lucas também mostra esse tipo de sentimento entre os apóstolos: "Suscitaram também entre si uma discussão sobre qual deles parecia ser o maior" (Lucas 22.24).

O que precisamos notar é que esse sentimento de grandeza entre eles era algo que cada um já carregava dentro de si quando Jesus os chamou, mas que certamente só se manifestaria depois. Tente imaginar-se no lugar de Pedro na pesca milagrosa, e imagine só que história de pescador isso não daria! Coloque-se no lugar dele e tente imaginar-se andando sobre as águas, que foi algo que até então ninguém havia ouvido que um ser humano fizera. E o que não dizer da multiplicação de pães, das curas, libertações e de tantos outros milagres!

O AGIR INVISÍVEL DE DEUS

Contudo, não era só isso. Eles eram os escolhidos do Messias e estavam sendo preparados para uma tarefa ainda maior! O coração de cada um deles começou a ensoberbecer-se, e eles começaram a pensar de si mesmos mais do que realmente eram.

Eles haviam se tornado tão importantes que começaram a achar que ninguém mais poderia fazer o que Jesus lhes havia mandado fazer. E externaram esse sentimento na primeira ocasião que surgiu:

> Disse-lhe João: Mestre, vimos um homem que, em teu nome, expelia demônios, o qual não nos segue; e nós lho proibimos, porque não seguia conosco. Mas Jesus respondeu: Não lho proibais; porque ninguém há que faça milagre em meu nome e, logo a seguir, possa falar mal de mim. Pois quem não é contra nós é por nós (Marcos 9.38-40).

Só eles poderiam fazer aquilo; outras pessoas, não! Ninguém poderia brilhar como eles brilhavam ao lado de Jesus. Esse sentimento foi externado diversas vezes. Quando uma aldeia de samaritanos não quis receber Jesus, dois deles quiseram orar para que descesse fogo do céu e os consumisse. Eles propuseram isso a Jesus, imitando o estilo de Elias. Ao dizerem isso, não estavam apenas demonstrando que se achavam os guardiões da "reputação" de Jesus, mas que também já se achavam tão "homens de Deus" quanto Elias.

Precisamos ter muito cuidado quando crescemos em Deus, para que o Diabo não encha o nosso coração de orgulho. Eu já mencionei como o anjo de Deus se referiu ao meu ministério na época em que me acidentei. O Senhor permitiu e usou aquilo para que eu não crescesse a ponto de me ensoberbecer e cair. Nunca achamos que isso pode acontecer conosco. Parece que é sempre possível que aconteça com os outros, mas

O canto do galo

nunca conosco! Contudo, as Escrituras advertem que quem está em pé deve cuidar para que não venha a cair (1Coríntios 10.12).

Esse sentimento foi se avolumando nos apóstolos até o nível de cegueira em que as pessoas acham que a queda pode acontecer com os que estão à sua volta, mas não com elas mesmas. Vejamos isso de forma específica na vida do apóstolo Pedro:

> Então, lhes disse Jesus: Todos vós vos escandalizareis, porque está escrito: Ferirei o pastor, e as ovelhas ficarão dispersas. Mas, depois da minha ressurreição, irei adiante de vós para a Galileia. Disse-lhe Pedro: Ainda que todos se escandalizem, eu, jamais! Respondeu-lhe Jesus: Em verdade te digo que hoje, nesta noite, antes que duas vezes cante o galo, tu me negarás três vezes. Mas ele insistia com mais veemência: Ainda que me seja necessário morrer contigo, de nenhum modo te negarei. Assim disseram todos. (Marcos 14.27-31).

"Ainda que todos se escandalizem, eu, jamais!" Você percebe essa mentalidade em Pedro?

Ele se achava tremendamente fiel ao Senhor, mas estava prestes a descobrir que não era tudo o que pensava ser. Embora o nosso enfoque esteja em Pedro, que se achou melhor que os outros, note que cada um deles também disse que se preciso fosse morreria com Jesus. Eles realmente acreditavam em sua espiritualidade e fidelidade.

Contudo, quando Cristo foi preso, todos eles fugiram (Marcos 14.50). Nenhum deles ficou por perto. "Pedro seguira--o de longe até ao interior do pátio do sumo sacerdote e estava assentado entre os serventuários, aquentando-se ao fogo." (Marcos 14.54).

Mesmo não abandonando completamente Jesus, Pedro permaneceu a distância, de onde ele poderia não somente satisfazer a sua curiosidade com relação ao que ocorreria, mas, ao mesmo tempo, também salvar a própria pele. E foi esse distanciamento que o levou ao passo seguinte, que já havia sido profetizado pelo Mestre: negar Jesus três vezes.

> Estando Pedro embaixo no pátio, veio uma das criadas do sumo sacerdote e, vendo a Pedro, que se aquentava, fixou-o e disse: Tu também estavas com Jesus, o Nazareno. Mas ele o negou, dizendo: Não o conheço, nem compreendo o que dizes. E saiu para o alpendre. [E o galo cantou.] E a criada, vendo-o, tornou a dizer aos circunstantes: Este é um deles. Mas ele outra vez o negou. E, pouco depois, os que ali estavam disseram a Pedro: Verdadeiramente, és um deles, porque também tu és galileu. Ele, porém, começou a praguejar e a jurar: Não conheço esse homem de quem falais! E logo cantou o galo pela segunda vez. Então, Pedro se lembrou da palavra que Jesus lhe dissera: Antes que duas vezes cante o galo, tu me negarás três vezes. E, caindo em si, desatou a chorar. (Marcos 14.66-72)

Mateus, em seu Evangelho, nos dá o detalhe de que o apóstolo Pedro chorou amargamente. Já o evangelista Marcos enfatiza que ele irrompeu em prantos assim que "caiu em si".

Caindo em si

O fato de ele ter caído em si quando o galo cantou mostra que até então ele estava pelo menos um pouco fora de si. O nosso coração muitas vezes nos engana, levando-nos a achar que somos mais do que realmente somos.

Pedro havia fantasiado o seu amor e fidelidade ao Senhor. Ele também havia construído um sentimento de grandeza própria, mas, de repente, tudo foi para o chão. Ele descobriu que não era tão forte assim. Descobriu também que havia uma grande distância entre o que ele achava que fosse e o que de fato ele era.

O canto do galo

É por isso que o Novo Testamento realmente enfatiza que devemos ser muito cuidadosos para não enganarmos a nós mesmos. O apóstolo Paulo declarou: "Digo a cada um dentre vós que não pense de si mesmo além do que convém, antes, pense com moderação" (Romanos 12.3).

Cada um de nós passará por momentos de crise semelhantes aos do apóstolo. As crises não são tão negativas quanto parecem. Na verdade, são grandemente positivas, pois moldam o nosso caráter.

O curioso, porém, foi o fato de Jesus relacionar esse momento de límpida autoconsciência de Pedro com o canto do galo. E estou certo de uma coisa: não foi por coincidência que Jesus relacionou essas duas coisas. Tudo o que foi escrito, para o nosso ensino foi escrito.

O canto do galo tem uma figura. Ele retrata um sinal, um alarme, um testemunho que nos faz cair em nós mesmos para vermos quem de fato somos. Note que é quando o galo canta que Pedro se lembra do que Jesus lhe dissera. Portanto, o canto do galo é algo que Deus usa para nos despertar e mostrar quem realmente somos. É o despertador de Deus!

Por que Jesus não o impediu?
O Senhor Jesus Cristo, sabendo de antemão o que o apóstolo enfrentaria, avisou-o antes que acontecesse.

Mas por que Jesus não fez nada para livrá-lo? Por que não o impediu?

Porque era necessário que Pedro passasse por isso, pois fazia parte do tratamento de Deus em sua vida e ministério. Além disso, não era um acontecimento meramente humano, mas espiritual. Lucas, o médico amado, registra este detalhe:

O AGIR INVISÍVEL DE DEUS

> Simão, Simão, eis que Satanás vos reclamou para vos peneirar como trigo! Eu, porém, roguei por ti, para que a tua fé não desfaleça; tu, pois, quando te converteres, fortalece os teus irmãos. Ele, porém, respondeu: Senhor, estou pronto a ir contigo, tanto para a prisão como para a morte. Mas Jesus lhe disse: Afirmo-te, Pedro, que, hoje, três vezes negarás que me conheces, antes que o galo cante (Lucas 22.31-34).

Observe que até Satanás estava envolvido nisso! O Diabo também ouviu as afirmações de grandeza e espiritualidade que os discípulos ostentavam, por isso ele pediu permissão a Deus para "peneirar" a vida deles do mesmo modo que se peneira o trigo. O interessante é que ele recebeu a permissão divina para isso. Jesus estava apenas alertando Pedro sobre o que aconteceria, para que, quando acontecesse, ele reconhecesse a soberania de Deus sobre todas as coisas.

No entanto, Cristo não disse em momento algum que ele impediria o Diabo. Ao contrário, ele estava fortalecendo Pedro e dizendo que aquilo realmente aconteceria. Jesus não somente deixou de impedi-lo, mas também de ordenar que Pedro resistisse ao Diabo. Nada lhe foi dito com relação a orar contra aquilo, a fazer guerra espiritual, tampouco a usar a sua autoridade espiritual, pois essa era uma ação maligna sob permissão divina. Era mais uma daquelas muitas vezes em que Deus faz que Satanás trabalhe para ele!

Toda essa cena de perseguição a Jesus que ocorreu no jardim em que ele foi preso e tudo o que se seguiu estavam sob ação maligna. A pressão das pessoas sobre Pedro, indagando se ele estava com Cristo, o próprio medo que ele sentiu e que deve ter sido incrementado por pensamentos sombrios — todos esses acontecimentos estavam sendo manipulados pelo Adversário.

104

O canto do galo

O próprio Jesus declarou no jardim: "Esta é a hora e o poder das trevas" (Lucas 22.53). Contudo, nada saiu (e nunca sai) da soberania de Deus, que sempre age por sua multiforme sabedoria.

Embora Jesus não tenha impedido esse acontecimento, isso não significa que não houve uma intervenção sua. Ele mesmo declarou a Simão Pedro que ele havia orado e intercedido em seu favor, e deu a entender com isso que ele não apenas venceria a batalha, mas também que, no final, receberia o tratamento e a operação de Deus em sua vida: "quando te converteres, fortalece os teus irmãos". E foi exatamente isso o que aconteceu.

Há momentos em que não vemos o Senhor ao nosso lado, e essa sensação de estarmos sozinhos parece ocorrer justamente sob os mais intensos e violentos ataques das trevas. No entanto, podemos ter a certeza de que jamais seremos abandonados, pois Cristo intercede por nós!

Quando Estêvão estava sendo apedrejado, ele viu Jesus em pé, à direita de Deus. O Senhor estava intercedendo por ele e querendo que Estêvão soubesse disso, para que essa certeza o fortalecesse. Foi também por isso que Cristo avisou Pedro que já havia orado antes, pois essa certeza nos fortalece em momentos de dificuldade. O Senhor nunca deixa de interceder por nós — nunca mesmo!

Tenha certeza disto! Jesus avisou Simão Pedro que ele passaria por aquilo, e não impediu o Diabo, pois era necessário que Pedro passasse pela "peneira". Com isso, Satanás queria derrubá-lo. Deus, no entanto, sabendo de antemão que esse fim não seria alcançado, permitiu que a "peneira" maligna viesse sobre o seu servo.

Quando, porém, veio a "peneira", o Diabo acabou trabalhando para Deus, que permitiu que Pedro experimentasse um profundo quebrantamento e se despojasse da altivez e da grandeza que arruinariam o seu ministério. O nosso Deus é tremendo em sua forma de aplicar o seu tratamento a nós.

Às vezes, as provações são mal compreendidas no meio eclesiástico. Alguns dizem que o Senhor nos prova para saber quem somos, mas não é verdade, pois ele é onisciente, ele sabe todas as coisas, mesmo antes que aconteçam.

Então, por que ele nos prova?

Ele o faz para que *nós* saibamos quem realmente somos! Pedro foi provado para que ele descobrisse que não era tudo o que pensava ser. Deus já sabia disso. Nós também somos provados nesse sentido. No momento em que o galo canta em nossa vida e nos desperta, a nossa soberba e a nossa espiritualidade fingida caem por terra.

É justamente em crises como essas que o quebrantamento de Deus vem e opera em nós.

O canto do galo

Diversas situações podem enquadrar-se como sendo o canto do galo na nossa vida. Na verdade, todas as crises que nos levam a perceber que não somos tudo o que pensávamos ser podem ser vistas como esse alarme divino, por exemplo, as nossas próprias decepções com nós mesmos por não atingirmos as metas, por tropeçarmos em áreas que já julgávamos resolvidas, por esfriarmos espiritualmente depois de um período de avivamento interior, e assim por diante.

Estabelecido o conceito genérico do que poderia ser o galo cantando na nossa vida, eu gostaria de deter-me num aspecto específico em que percebo que muitas pessoas se prendem sem entender o que está acontecendo, ou mesmo sem sequer

O canto do galo

imaginar que poderia haver uma permissão divina para esse tipo de crise. Penso que esse é um dos cantos do galo, um dos alarmes que mais se repetem na vida dos cristãos: *a angústia.*

Há diferentes tipos de angústia, mas refiro-me àquela para a qual normalmente não temos uma explicação, para a qual não conseguimos encontrar razão ou motivo para que se aloje em nós.

Lembro-me de quando o pastor Francisco Gonçalves ministrou a nós nesse sentido, pela primeira vez, e abriu os nossos olhos para vermos outra dimensão da angústia na vida do cristão. Isso aconteceu no ano seguinte ao do acidente que mencionei, e eu estava numa grande crise. Ele nos perguntou:

— O que é que vocês acham da dor? Ela é algo bom ou algo ruim?

Todos nós concordamos que era algo ruim. Então, ele declarou:

— Se não fosse a dor, você colocaria o braço no fogo e só perceberia quando tudo o que restasse fosse do cotovelo para cima!

Todos nós rimos, e foi aí que ele acrescentou:

— A dor, na verdade, é um sinal de que alguma coisa, em algum lugar, não está bem e precisa ser tratada.

A partir daí, ele discorreu sobre a febre, não como sendo algo ruim, mas que, à semelhança da dor, faz parte do sistema de defesa do nosso organismo, e que também é um sinal de que alguma coisa, em algum lugar, não está bem e precisa ser tratada. Se não fosse a febre, o nosso corpo poderia apodrecer de tanta inflamação! Contudo, ela é um sinal de advertência, para que sejamos tratados.

Semelhantemente, o medo também pode ser visto por essa ótica. Se não fosse o medo, as crianças sairiam e colocariam o

O AGIR INVISÍVEL DE DEUS

dedo em tudo que é buraco de bicho! O medo é um mecanismo de defesa e autopreservação.

Há alguns sinais de advertência que Deus pôs em nós, e a angústia é um deles. *Ela é um sinal de que alguma coisa, em algum lugar, não está bem e precisa ser tratada.* Foi isso que Pedro sentiu naquela noite em que chorou amargamente. Não foi apenas a decepção de descobrir que ele não era tudo o que pensava ser, mas foi também um testemunho interior de que algo não estava bem e precisava ser resolvido. O galo cantou na vida de Simão Pedro, mas o verdadeiro sinal de advertência não foi o galo em si, e sim a angústia que se instalou em seu interior.

Existem diversos tipos de choro, mas penso que o pior de todos foi o que ele experimentou: o choro amargo. Não há alívio para esse tipo de choro. Ele nos dilacera por dentro, e, quanto mais choramos, mais vontade temos de chorar. Contudo, isso tudo foi muito positivo na vida do apóstolo. Muitas pessoas dizem que Pedro foi mudado no dia de Pentecoste, mas creio que a sua mudança (ou "conversão", como denominou Jesus) começou de fato naquela noite, com esse tratamento de Deus em sua alma.

Compreendendo as noites escuras

Um dos períodos de crise mais difíceis para muitos de nós é o que se conhece como "noites escuras". Há momentos em que nos sentimos desprovidos de qualquer tipo de iluminação ou direção. Sentimo-nos perdidos e impotentes.

Hoje em dia, temos muitas vantagens com relação às pessoas que viveram nos tempos bíblicos. Com a energia elétrica e o avanço da tecnologia, podemos fazer muitas coisas durante a noite. Eu mesmo sou um dos muitos "corujões",

O canto do galo

que gostam de trocar a noite pelo dia. Mas, naquela época, as pessoas ficavam muito limitadas, pois não podiam fazer nada até que amanhecesse.

Assim são as nossas crises. Sentimo-nos atados em meio à angústia, a ponto de não podermos fazer nada até que a noite acabe e venha a luz do dia. Como se não bastasse esse sentimento de impotência, surge também o medo. O medo do escuro é uma das coisas mais comuns entre as crianças. Há também os que, mesmo crescendo, não conseguem livrar-se desse pavor. A noite escura sugere o incerto, o inesperado, o imprevisível. Ela não é um momento em que explicamos os nossos medos, mas o momento quando temos medo do que nem sequer conhecemos.

Podemos ainda acrescentar ao medo o frio e o desconforto. Pedro sentiu isso naquela noite, pois ele foi se aquecer perto do fogo. É exatamente nessas circunstâncias que o galo cantará na nossa vida, pois é de noite que ele canta.

Estamos vendo na noite o aspecto da escuridão, das trevas. Consideremos agora alguns princípios com relação às trevas. Em primeiro lugar, precisamos saber que há tesouros ocultos. Algumas versões traduzem Isaías 45.3 da seguinte forma: "dar-te-ei os tesouros das trevas".

Deus tem tesouros reservados para nós nesses momentos. Entre eles está o tratamento da nossa alma (que nessas horas se torna bastante vulnerável ao Senhor).

A noite (ou trevas) foi criada por Deus. Às vezes, imaginamos as trevas como sendo algo estritamente maligno, mas as Escrituras afirmam que foi Deus quem criou as trevas (Isaías 45.7). Há alguns aspectos nelas que não têm nada de negativo. Um deles é que, no natural, as trevas são um momento de descanso que o Senhor deu aos homens. Quando estamos

O AGIR INVISÍVEL DE DEUS

vivendo a crise das noites escuras, devemos nos conscientizar de que não é hora de tentar fazer nada, mas de simplesmente descansar no Senhor.

As trevas também podem ser consideradas um lugar em que *a vida está sendo gerada*. Gênesis relata que, na Criação, havia trevas sobre a face da terra e que, nesse ambiente, a vida foi gerada. A semente sob o solo é outro exemplo. A criança no ventre materno é mais um exemplo da vida sendo gerada em meio às trevas. A Bíblia também cita uma figura, a vara de Arão, que floresceu (Números 17.1-11). Ela era apenas um pedaço de pau seco, mas floresceu ao ser colocada na Tenda da Congregação, conforme a instrução do Senhor. A vida manifestou-se enquanto aquela vara foi guardada onde não havia nenhuma iluminação, no Santo dos Santos, diante da arca da aliança.

Se você está enfrentando noites escuras, anime-se! Reconheça que o agir de Deus na nossa vida vai muito além do nosso entendimento limitado. Ele não age somente quando achamos ou vemos que está agindo, mas sempre! E, na maioria das vezes, não conseguiremos entender como as coisas estão acontecendo até que tudo termine. Fique firme, sabendo que Deus é fiel e tem cuidado de nós! Às vezes, sentimo-nos como se estivéssemos no Polo Norte, no período das noites eternas, que parecem não terminar nunca, mas terminarão e haverá alegria ao amanhecer! "Porque não passa de um momento a sua ira; o seu favor dura a vida inteira. Ao anoitecer, pode vir o choro, mas a alegria vem pela manhã." (Salmos 30.5).

Estas crises terão o seu fim, e o sol nascente brilhará sobre os tesouros que ficaram!

O canto do galo

Depois do canto do galo

Vemos claramente que um novo Pedro surgiu com o fim da noite escura. O evangelho de João nos mostra isso numa das últimas conversas que Cristo teve com ele. As palavras de Jesus sugerem muitas coisas que, numa leitura rápida, acabam passando despercebidas aos nossos olhos.

> Depois de terem comido, perguntou Jesus a Simão Pedro: Simão, filho de João, amas-me mais do que estes outros? Ele respondeu: Sim, Senhor, tu sabes que te amo. Ele lhe disse: Apascenta os meus cordeiros. Tornou a perguntar-lhe pela segunda vez: Simão, filho de João, tu me amas? Ele lhe respondeu: Sim, Senhor, tu sabes que te amo. Disse-lhe Jesus: Pastoreia as minhas ovelhas. Pela terceira vez Jesus lhe perguntou: Simão, filho de João, tu me amas? Pedro entristeceu-se por ele lhe ter dito, pela terceira vez: Tu me amas? E respondeu-lhe: Senhor, tu sabes todas as coisas, tu sabes que eu te amo. Jesus lhe disse: Apascenta as minhas ovelhas. Em verdade, em verdade te digo que, quando eras mais moço, tu te cingias a ti mesmo e andavas por onde querias; quando, porém, fores velho, estenderás as tuas mãos e outro te cingirá e te levará para onde não queres. Disse isto para significar com que gênero de morte Pedro haveria de glorificar a Deus. Depois de assim falar, acrescentou-lhe: Segue-me. (João 21.15-19)

Por que o Senhor fez a mesma pergunta três vezes? Provido de onisciência, ele não pergunta por não saber a resposta. Se, sabendo todas as coisas Jesus fez essas perguntas, concluímos que ele o fez não por necessitar de uma resposta, mas para conduzir o apóstolo a uma sincera autoavaliação. Penso que o que o Senhor queria era justamente isto: fazer que Pedro olhasse para dentro de si e reconhecesse onde ele estava com relação ao seu amor por Cristo.

O AGIR INVISÍVEL DE DEUS

Lembre-se de que anteriormente Simão Pedro achava que ele amava o Senhor Jesus a ponto de dar a própria vida por ele, mas, de repente, ele veio a descobrir que não era tudo o que pensava ser, tampouco amava tanto o Senhor quanto pensava. Depois da sua decepção, Pedro passou a achar que ele não amava tanto assim o Senhor. Foi nesse dilema vivido pelo apóstolo que Cristo o levou a examinar a si mesmo e a localizar-se espiritualmente, para que ele verdadeiramente constatasse qual era o nível do seu amor. Vemos isso pela maneira com que as perguntas lhe foram feitas pelo Senhor e pela promessa que ele lhe fez depois delas.

Há um jogo de palavras no original grego que não percebemos na tradução para o português. Trata-se da palavra "amor". O grego usa diferentes palavras para conotar diferentes expressões de "amor". Se a referência ao amor for física, sexual, então a palavra grega empregada é *eros*; se a conotação do amor for fraternal, então a palavra grega é *philía*; e, quando se trata de um amor perfeito, intenso, do tipo do amor de Deus, então a palavra grega usada é *agápe*.

No português, não temos esse tipo de diferenças. Contudo, Jesus usou palavras diferentes em sua conversa com Pedro. Na primeira pergunta, ele disse: "Tu me amas [verbo *agapáo*]?".

Pedro respondeu: "Tu sabes que te amo [verbo *phileo*]".

Na segunda vez, ocorreu o mesmo. Jesus perguntou se Pedro o amava no mais alto nível de amor — *agápe* — e Pedro reconheceu que o amava, mas nem tanto. O seu amor era somente *philía*. Como Jesus não pôde levar Pedro ao seu nível, ele desceu ao nível de Pedro, e, na terceira vez, ele lhe perguntou: "Tu me amas [verbo *phileo*]?".

O canto do galo

Então Pedro respondeu-lhe: "Senhor, tu sabes todas as coisas. Tu sabes que eu te amo [*verbo phileo*]". É como se mais uma vez ele afirmasse: "O meu amor não vai além disso, e eu não quero enganar-me de novo!".

Talvez até pudéssemos traduzir essas diferentes palavras por: "amar" [verbo *agapáo*] e "gostar" [verbo *phileo*]. Portanto, para as perguntas de Jesus a Pedro: "Tu me amas?", as respostas seriam: "Senhor, tu sabes que eu gosto de ti". Contudo, ainda assim Jesus concluiu o diálogo dizendo que Pedro chegaria a glorificar a Deus por meio da sua morte, ou seja, que chegaria o dia em que ele amaria tanto o Senhor como ele achou que o amava no princípio. E, nessa promessa de que o apóstolo daria a sua vida por ele, Jesus declarou até mesmo que tipo de morte ele teria. Pedro "estenderia as suas mãos", o que retratava um tipo de morte comum nos dias do Império Romano: a crucificação. A tradição diz que, quando o imperador Nero mandou crucificá-lo (entre 64 e 67 d.C.), Pedro teria dito o seguinte: "Não sou digno de morrer como o meu Senhor"! Em seguida, ele teria pedido que o crucificassem de cabeça para baixo, o que, se de fato ocorreu, foi uma demonstração de amor a Jesus Cristo ainda maior.

Somente quando descobrimos que não somos tudo quanto pensamos, e enxergamos as nossas fraquezas e vulnerabilidades (na maioria das vezes em meio às crises), é que Deus trabalha profundamente em nós. Esse é um tipo de ação de Deus que não vemos com os nossos olhos naturais. Quando estamos em meio a essas crises, normalmente não entendemos o que está acontecendo, tampouco achamos que Deus possa estar agindo; mas ele sempre age em nós, mesmo quando não vemos nenhuma evidência do seu agir.

Não restrinja o agir de Deus somente ao que você vê e compreende, mas permita que ele seja o Senhor em sua vida! Confie nele em toda e qualquer circunstância, e saiba que, a seu tempo, tudo será esclarecido. E você descobrirá que foi aperfeiçoado e também conduzido a um nível mais elevado de maturidade espiritual.

CAPÍTULO 5

Nas asas da águia

Não sei por quais caminhos Deus me conduz,
mas conheço bem meu guia.
— Martinho Lutero

O TEXTO SEGUINTE FAZ PARTE do cântico profético que Moisés entoou antes de morrer. Foi o seu último cântico, e foi cantado no limiar da terra prometida:

> Como a águia desperta o seu ninho, adeja sobre os seus filhos e, estendendo as suas asas, toma-os, e os leva sobre as suas asas, assim só o SENHOR o guiou, e não havia com ele deus estranho (Deuteronômio 32.11,12).

Israel havia chegado bem perto de Canaã, sem contudo possuí-la. Moisés não chegou a entrar na terra. Ele somente a avistou de longe. Numa verdadeira retrospectiva, ele olhou para trás e falou sobre a forma com que Deus os havia conduzido desde que deixaram o Egito. A ilustração natural que ele encontrou para resumir o que havia acontecido espiritualmente foi a da águia pairando em seu voo. A ação de Deus em prol do seu povo foi por ele comparada à da águia que leva os seus filhotes em suas asas.

Primeiramente, precisamos entender essa ilustração natural, para então entendermos o significado espiritual da afirmação desse profeta do Senhor. Os escritores da Bíblia usavam o simbolismo das coisas que eles conheciam muito bem e que dispensavam explicações em seus dias. Para nós, no entanto, a compreensão nem sempre vem tão rapidamente.

Até hoje, nunca vi uma águia de perto, a não ser em fotos e filmes. Além disso, eu não entendia nada de águias, de modo que, quando lia um texto bíblico dizendo "como a águia", isso não significava nada para mim. Um dia, porém, resolvi entender o comportamento da águia e o que significava "voar em suas asas". O que descobri tocou-me profundamente, pois pude ver essa verdade natural como um paralelo do agir de Deus na nossa vida. Lembre-se de que Moisés estava olhando para trás e lembrando a forma com que Deus havia agido com eles ao apresentar essa ilustração, o que faz com que percebamos que o Espírito Santo permitiu que ele visse algo concernente ao agir de Deus. O Senhor age de acordo com seus princípios, e, como eles não mudam, tampouco muda o seu agir. O que Moisés falou, na verdade, é um princípio para nós hoje também. Não se trata apenas de história, de algo do passado, mas também de um princípio que se encaixa perfeitamente no nosso viver cristão.

São os filhotes da águia que voam em suas asas. Na hora em que eles precisam aprender a voar, a mãe águia os tira do ninho com as suas asas e os leva para um passeio. No meio do passeio, ela sacode as suas asas e joga os filhotinhos para o alto, os quais, por causa do susto, começam a bater as suas asas e, dessa forma, no desespero, aprendem a voar. Muitas vezes, os filhotinhos não conseguem voar na primeira tentativa e despencam em direção ao solo. Nesse momento, a mãe águia dá um voo rasante, reco-lhe-os em suas asas e os leva de volta ao ninho. Mais tarde, ela repete esse processo até que aprendam a voar.

Esse voo nas asas da águia não é panorâmico. É um momento em que a maturidade *é imposta*. Trata-se de um tempo de amadurecimento, de um tempo em que o filhote deixa de ser totalmente dependente e tem que ganhar a própria vida. Logo, ao referir-se a Deus como que "levando o seu povo em asas de águia", Moisés não estava falando de um voo panorâmico, mas de um tempo em que o Senhor estava exigindo deles a matu-ridade. Até então, Deus havia feito tudo pelo povo, mas agora eles haviam chegado a um ponto em que teriam de crescer. Querendo ou não, eles realmente teriam de crescer.

Nas asas da águia

Deus agiu dessa forma com Israel e ele também age assim conosco. Essa é uma crise pela qual *todo* cristão passa, sem distinção, e não é uma hora agradável. Ninguém gosta de deixar o seu ninho. Por que sairmos atrás de comida, se no ninho só precisamos abrir a boca para comer o que a mãe águia nos traz?

Eu não exageraria a ponto de dizer que isso é algo traumático, mas certamente é um choque. Você sempre teve tudo à mão e, de repente, "tem de se virar". O fácil ao qual estávamos acostumados se vai e repentinamente tudo fica difícil. Não acho que alguém consiga ver tudo isso com alegria, pois é um momento de crise interior, que reflete um aparente abandono e tem aparência de rejeição. E isso nos faz pensar: "Se Deus sempre fez tudo por nós, por que agora ele deixará de fazê-lo?".

Não vemos isso com bons olhos, até entendermos o que de fato está acontecendo. A verdade é que muitos cristãos nunca chegam a entender isso. Eles culpam Deus, achando que ele os rejeitou, e acabam não crescendo nunca. Levam o susto, mas, mesmo assim, não voam. Voltam ao ninho, e o processo se repete, mas, como nunca voam, a vida deles se transforma naquela mesmice de serem jogados para o alto, sentirem o frio na barriga, despencarem precipício abaixo, até que o Senhor repetidamente os salve e os recolha ao ninho. E depois, tudo de novo!

A águia não é considerada uma mãe desnaturada por fazer isso com os seus filhotes, pois sabemos que o que ela faz é benéfico, importante e indispensável. Contudo, quando o nosso Pai celestial age assim conosco, não o entendemos e ainda o acusamos.

Essa crise, gerada por um aparente abandono e rejeição, é inevitável. É uma parte essencial da vida cristã. Se ela ainda não aconteceu com você, acontecerá! É só uma questão de tempo. É o amor de Deus impulsionando-nos a amadurecer.

Se você já passou por isso, é importante que entenda o que de fato aconteceu, pois, em situações como essas, muitos cristãos ficam magoados com Deus e acabam interpretando erroneamente os fatos, o que estanca o seu crescimento e implica a repetição do processo.

Caso você ainda não tenha passado por essa crise, é importante que saiba o que de fato a ocasiona na hora em que ela ocorrer. Assim, você não se desesperará, tampouco culpará Deus.

Deixando a meninice

Precisamos crescer. A Bíblia fala sobre o crescimento espiritual fazendo uso de um perfeito paralelo com o crescimento natural. Ela menciona as criancinhas que precisam de leite e o adulto que come alimento sólido. Não há como ignorarmos o crescimento, pois ele faz parte da vida. A Bíblia diz: "Quando eu era menino, falava como menino, sentia como menino, pensava como menino; quando cheguei a ser homem, desisti das coisas próprias de menino" (1Coríntios 13.11).

Quando somos crianças, comportamo-nos como tais, e as outras pessoas também nos tratam assim. Mas, ao crescermos, não somente temos que deixar de agir como crianças, como também as pessoas à nossa volta, em especial os nossos pais, têm de deixar de nos tratar como se fôssemos crianças.

Quando eu me casei, a minha mãe entrou comigo na igreja, mas teria sido um absurdo se ela houvesse feito isso me carregando no colo! Não importa se ela me carregou quando eu ainda era criança. A partir do momento em que eu cresci, ela começou a tratar-me de acordo com o meu crescimento.

Nas asas da águia

Não podemos permanecer na infância para sempre — quer naturalmente, quer espiritualmente.

Temos que deixar de ser crianças birrentas e aceitar o nosso crescimento. Como isso inicialmente aparenta ser um abandono, acabamos não lhe dando as boas-vindas, mas depois ficamos gratos por termos amadurecido.

As mudanças com relação a Israel

Basicamente, as mudanças no agir de Deus com relação aos israelitas, entre a fase em que estavam voando "nas asas da águia" e a fase do seu amadurecimento "forçado", ao entrarem em Canaã, foram quatro:

- *Alimento especial* — o maná diário.
- *Proteção especial* — vestes e sapatos que não envelheciam.
- *Direção especial* — coluna de nuvem de dia, e coluna de fogo à noite.
- *Ausência de guerras* — Deus os desviou do caminho da Filístia para que eles não vissem a guerra.

Em cada uma dessas áreas, o povo israelita passou por mudanças drásticas. Foi como se o Deus que eles conheceram tivesse passado também por uma grande mudança! Sabemos que Deus não muda, que nele não há mudança nem sombra de variação.

Entretanto, como essa fase de amadurecimento também revela um aspecto do agir de Deus que até então não conhecíamos, podemos até pensar que ele mudou. A verdade, no entanto, é que chegou o tempo em que nós é que devemos mudar, e, se não levarmos um "empurrãozinho" nesse sentido, ficaremos eternamente acomodados.

O alimento especial

Tão logo os israelitas saíram do Egito, eles se encontraram num deserto onde não havia como plantar e colher o seu próprio alimento, não só pela questão de não haver nenhuma terra fértil, mas também pelo fato de que eles estavam a caminho de Canaã, onde se fixariam definitivamente.

Contudo, eles logo chegaram a fazer o questionamento: "O que comeremos?". E Deus lhes deu o maná, o pão do céu:

> E, quando se evaporou o orvalho que caíra, na superfície do deserto restava uma coisa fina e semelhante a escamas, fina como a geada sobre a terra. Vendo-a os filhos de Israel, disseram uns aos outros: Que é isto? Pois não sabiam o que era. Disse-lhes Moisés: Isto é o pão que o Senhor vos dá para vosso alimento. [...] Deu-lhe a casa de Israel o nome de maná; era como semente de coentro, branco e de sabor como bolos de mel. [...] E comeram os filhos de Israel maná quarenta anos, até que entraram em terra habitada; comeram maná até que chegaram aos termos de Canaã (Êxodo 16.14,15,31,35).

Durante quarenta anos, eles foram sustentados dessa forma milagrosa pelo Senhor, mas, ao entrarem em Canaã e comerem do fruto da terra, cessou o alimento especial.

> No dia imediato, depois que comeram do produto da terra, cessou o maná, e não o tiveram mais os filhos de Israel; mas, naquele ano, comeram das novidades da terra de Canaã. (Josué 5.12)

Foi como se Deus lhes dissesse: "Enquanto não havia meios de vocês se sustentarem por si mesmos, eu o fiz por vocês. Mas agora é com vocês! Vocês estão por conta própria!".

Isso não significava que o Senhor não estaria com eles, mas que agora eles teriam que se esforçar para conseguir o seu

Nas asas da águia

próprio alimento. A aplicação disso é que no começo da nossa caminhada de fé experimentamos, durante algum tempo, o alimento especial. Onde quer que abríssemos a nossa Bíblia, Deus falava, até mesmo nas genealogias!

Contudo, depois de algum tempo na caminhada de fé, todos passamos por aquela crise em que aparentemente a fonte secou e a Palavra já não é mais a mesma. Sentimos que algo nos falta, e não se trata apenas de ânimo ou motivação, mas é como se a própria Bíblia tivesse mudado de repente! E o que dizer daquelas promessas tão vivas no nosso coração e que nos sustentavam nas horas difíceis, mas que agora não parecem ser mais do que meras lembranças?

Ou o que dizer ainda daqueles cultos em que aparentemente, não interessava quem estivesse pregando, a Palavra de Deus jorrava sobre o nosso coração? A nossa fé era suficiente para crermos que Deus poderia usar até mesmo a jumenta de Balaão na nossa vida, mas, depois de um tempo, parece que não somos mais supridos. E o pior disso tudo é que só ficamos criticando e já não temos mais os ouvidos nem o coração abertos.

Isso não nos ocorre porque não queremos mais ser alimentados, e sim porque chega um momento em que o Pai celestial muda não somente o nosso cardápio, mas também a forma de obtermos o alimento. É o momento em que ele "sacode as asas" e nos lança "despenhadeiro abaixo". É hora de voarmos, de sermos maduros, de crescermos. E, daí em diante, temos que "dar duro" pelo nosso alimento, à semelhança de Israel, que teve que arar, plantar e colher para somente então alimentar-se. E isso é muito mais complicado do que simplesmente receber o maná. Essa é a hora de começarmos a estudar e a meditar, de fato, a Bíblia. É a hora de cavarmos mais fundo, para podermos extrair minérios mais ricos. Enquanto estamos no início, Deus nos sustenta de uma forma especial, mas o seu plano não é que vivamos na moleza ou na comodidade.

O Senhor quer de nós empenho e determinação na busca do nosso alimento. Ele quer que a maturidade tenha o seu lugar em nós.

Proteção especial

Não foi somente a alimentação especial que sofreu mudanças. Houve mudanças também na forma de Deus proteger o seu povo. Durante o tempo em que os israelitas peregrinaram pelo deserto, eles provaram um milagre após o outro, e, entre tantos, há um que queremos destacar: "Quarenta anos vos conduzi pelo deserto; não envelheceram sobre vós as vossas vestes, nem se gastou no vosso pé a vossa sandália" (Deuteronômio 29.5).

Eles nem sabiam o que era moda! Eles usaram as mesmas roupas durante quatro décadas. As suas sandálias também não envelheceram (além de outros milagres de preservação, como a cura para a picada das serpentes abrasadoras). Mas, ao chegaram à terra prometida, tiveram que providenciar a confecção de roupas e sandálias!

Ao iniciarmos a nossa jornada da fé cristã, também provamos o mesmo: proteção especial, cura e muitas outras bênçãos. Parece que nos tornamos inatingíveis e que há um escudo especial à nossa volta. Para alguns, parece até que nem chegam a passar por provas e tribulações, pois as poucas provações que lhes sobrevêm aparentemente já vêm acompanhadas do livramento. Chega, no entanto, o dia de sermos lançados do ninho e de alcançarmos a maturidade, e é aí então que as provas e as tribulações parecem "vir com tudo para cima da gente"!

Nas asas da águia

Isso não significa uma rejeição; antes, é um indício de crescimento espiritual. Tenho acompanhado a vida espiritual de muitas pessoas nos últimos anos e confirmado quanto isso é comum.

Direção especial

Outra coisa que passa por mudanças nesse tempo de amadurecimento (e tratamento) é a forma com que Deus manifesta a sua direção na nossa vida. No início, ela parece vir sempre, e de forma espetacular. Depois chega o momento em que ela se torna ocasional, até que definitivamente se torne rara e quase nunca espetacular.

Com a nação de Israel foi assim. A princípio, Deus a guiou por meio de uma nuvem de dia e de uma coluna de fogo à noite:

> O Senhor ia adiante deles, durante o dia, numa coluna de nuvem, para os guiar pelo caminho; durante a noite, numa coluna de fogo para os alumiar, a fim de que caminhassem de dia e de noite. Nunca se apartou do povo a coluna de nuvem durante o dia, nem a coluna de fogo durante a noite (Êxodo 13.21,22).

Contudo, tão logo chegaram a Canaã, tudo mudou! Nem sequer ouvimos mais nada sobre a coluna de nuvem e de fogo. Quando Deus dá instruções a Josué para a travessia do Jordão, ele diz que o povo deveria seguir a arca carregada pelos sacerdotes:

> Sucedeu, ao fim de três dias, que os oficiais passaram pelo meio do arraial e ordenaram ao povo, dizendo: quando virdes a arca da Aliança do Senhor, vosso Deus, e que os levitas sacerdotes a levam, partireis vós também do vosso lugar e a seguireis. Contudo, haja a distância de cerca de dois mil côvados entre vós e ela. Não vos chegueis a ela, para que conheçais o caminho pelo qual haveis de ir, visto que, por tal caminho, nunca passastes antes (Josué 3.2-4).

O AGIR INVISÍVEL DE DEUS

Esse tipo de direção não é nada espetacular, pois a arca é carregada por homens. Antes, porém, as colunas de nuvem e de fogo se moviam sobrenaturalmente. Isso fala de uma mudança que experimentamos na forma de Deus nos dirigir, ao aproximarmo-nos de Canaã, o lugar da nossa plenitude espiritual.

No início da nossa caminhada com o Senhor Jesus, muitos de nós temos tremendas experiências com a direção de Deus. São manifestações de todo tipo: sonhos, visões, palavras proféticas, textos bíblicos recebidos com um grande impacto no nosso íntimo etc. — e todas essas coisas acontecendo sem que sequer houvéssemos procurado por elas. Contudo, tempos depois, a "fonte" parece secar-se, e esse tipo de direção deixa de ser frequente.

Há pessoas que, nessa fase, diante de todas as suas decisões, oram antes e aí então abrem aleatoriamente a Bíblia e sempre recebem uma palavra específica para a sua situação. Não duvido nem um pouco de que Deus se mova assim, pois já tenho visto muitas pessoas recebendo muitas respostas específicas para o que buscavam em Deus.

Lembro-me, em especial, de uma ocasião na minha infância em que vi o meu pai negociando um carro com outra pessoa que dizia ser cristã, mas que parecia estar querendo aproveitar-se dele no negócio. O meu pai pediu licença àquele homem por um instante, entrou em casa, fez uma oração a Deus pedindo a sua direção, e me pediu para abrir a Bíblia e colocar aleatoriamente um dedo sobre o texto, esperando uma resposta, que caiu num texto do livro de Provérbios, que diz o seguinte: "Nada vale, nada vale, diz o comprador; mas depois sai e vai-se gabando" (Provérbios 20.14).

Coincidência?

Nas asas da águia

De forma alguma!

Eu reconheço que Deus usa essa forma de falar com os seus filhos, e eu mesmo já experimentei muitas orientações desse gênero. Contudo, penso que dependência constante desse tipo de orientação é algo infantil. O Pai quer que amadureçamos! Precisamos aprender a ouvir a voz do Espírito Santo no nosso coração. Paulo escreveu aos romanos que "todos os que são guiados pelo Espírito de Deus são filhos de Deus" (Romanos 8.14). Enquanto Deus trouxer esse tipo de direção espetacular, não cresceremos a ponto de aprender a ser sensíveis à voz do Espírito.

Não estou dizendo que as manifestações espetaculares desaparecerão em definitivo da nossa vida, mas que há um princípio de maturidade nisso, e que de fato precisamos aprender a sintonizar o nosso coração com o Senhor. Jesus declarou que as suas ovelhas ouvem a sua voz. As manifestações espetaculares poderão vir como uma confirmação da própria direção divina, mas temos que aprender a ouvir Deus.

À semelhança dos filhotes da águia, temos que aprender a voar. Quando o Senhor sacudir as suas asas e o lançar ao ar, o meu conselho é: não murmure contra ele, nem se sinta abandonado, mas reconheça que é tempo de você amadurecer!

Ausência de guerras

Quando ensinamos os novos convertidos sobre a batalha espiritual que nos cerca, isso lhes parece uma fantasia. Em primeiro lugar, porque eles ainda não conhecem nem estão habituados ao convívio com o mundo espiritual. Em segundo lugar, porque são poupados da guerra no início da sua caminhada, exatamente como aconteceu com a nação israelita:

O AGIR INVISÍVEL DE DEUS

> Tendo Faraó deixado ir o povo, Deus não o levou pelo caminho da terra dos filisteus, posto que mais perto, pois disse: Para que, porventura, o povo não se arrependa, vendo a guerra, e torne ao Egito. Porém Deus fez o povo rodear pelo caminho do deserto perto do Mar Vermelho; e, arregimentados, subiram os filhos de Israel do Egito (Êxodo 13.17,18).

A batalha espiritual é um fato, não uma fantasia. Vemos isso com clareza nas Escrituras e também no dia a dia da nossa vida espiritual.

> Quanto ao mais, sede fortalecidos no Senhor e na força de seu poder. Revesti-vos de toda armadura de Deus, para poderdes ficar firmes contra as ciladas do diabo; porque a nossa luta não é contra o sangue e a carne e sim contra os principados e potestades, contra os dominadores deste mundo tenebroso, contra as forças espirituais do mal, nas regiões celestes. Portanto, tomai toda a armadura de Deus, para que possais resistir no dia mal e, depois de terdes vencido tudo, permanecer inabaláveis (Efésios 6.10-13).

Contudo, assim como o Senhor poupou o seu povo no início da sua caminhada, assim também somos poupados até que tenhamos a maturidade suficiente para entrar em batalhas.

Sei por experiência que durante um tempo não enfrentamos a batalha contra os demônios, pois Deus nos impede de ver a guerra, para que não desanimemos. Depois de estarmos mais consolidados na fé, contudo, o Senhor não somente permite que entremos na guerra, mas também nos ordena que batalhemos contra o Inimigo.

Não há plenitude espiritual sem batalhas! Eles saíram do Egito sem ver ou conhecer a guerra, mas, para entrar em Canaã, era necessário que pelejassem contra os inimigos da terra.

128

Não devemos, portanto, desanimar na hora da guerra, mas precisamos saber que isso é um sinal de que estamos no limiar da terra prometida, não de que fomos abandonados!

Compreendendo a rejeição

O que torna esse processo dolorido é que ele *aparenta* uma rejeição, um abandono de Deus para conosco. É quase inevitável não provar esse sentimento, mesmo conscientizando-nos de que é apenas um momento do tratamento de Deus conosco.

Penso, contudo, que o fato de sentirmos isso tão fortemente não se deve somente ao lado humano, frágil, que sente a necessidade de "curtir" a sua própria dor, mas que o próprio Deus usa esse sentimento para produzir outras coisas no nosso íntimo, para aplicar seu tratamento em nós de forma mais profunda.

Ao observar a vida dos homens que se destacaram servindo a Deus, nunca fiquei sabendo de um sequer, na Bíblia ou na História, que não tivesse passado por um profundo sentimento de rejeição. Parece-me que a sensação de rejeição é uma das ferramentas que Deus usa para aperfeiçoar o nosso caráter, pois ela tem um poder de produzir grandes reações no nosso íntimo.

O próprio Jesus experimentou a rejeição em diversos níveis. João 7.5 diz que nem mesmo os seus *irmãos* criam nele. Marcos 6.1-6 nos mostra que os seus vizinhos também não criam nele. Um dos Doze o traiu. A própria nação o rejeitou, pois, como escreveu João, "Ele veio para o que era seu, mas os seus não o receberam" (João 1.11). Isaías profetizou que, além dos sofrimentos físicos que Jesus provou no nosso lugar, a rejeição esteve presente:

> Era desprezado e o mais rejeitado entre os homens; homem de dores e que sabe o que é padecer; e, como um de quem os homens escondem o rosto, era desprezado, e dele não fizemos caso (Isaías 53.3).

Contudo, o pior sentimento de rejeição não é o que é produzido por homens, mas o que nos dá a impressão de que Deus nos rejeitou. Reconhecemos que os homens são falhos e imperfeitos, e, quando nos rejeitam por alguma razão, podemos buscar um refúgio em Deus. Entretanto, quando aparentemente Deus nos rejeitou, para onde iremos?

Esse tipo de sentimento mexe profundamente conosco. Jesus suportou bem toda a rejeição que ele sofreu. Isaías referiu-se a ele em sua profecia como uma ovelha muda, que não abriu a boca quando levada ao matadouro, pois, diante de toda a rejeição humana, ele não reclamou de nada. No entanto, houve um único instante em que Cristo não permaneceu calado: quando ele bradou na cruz: "Deus meu, Deus meu, por que me desamparaste?" (Mateus 27.46).

A Bíblia diz que ele "bradou" em alta voz, ou seja, ele "gritou". E o que é isso, senão um desabafo de alma? Toda rejeição pode ser suportada no nível humano, mas não no divino. Quando *parece* que fomos rejeitados por Deus, não temos consolo em mais nada! Por que o Senhor permite que tenhamos esse sentimento?

Sabemos que, quando ele nos leva "nas asas da águia" e nos lança ao ar para que aprendamos a voar, o seu propósito não é abandonar-nos, mas, sim, fazer com que cresçamos. Contudo, o sentimento de rejeição nessa hora é inevitável, mas eu creio que Deus aproveita esse tipo de sentimento para produzir algo em nós.

Nas asas da águia

> Ele, Jesus, nos dias de sua carne, tendo oferecido, com forte clamor e lágrimas, orações e súplicas a quem o podia livrar da morte, e tendo sido ouvido por causa da sua piedade, embora sendo Filho, aprendeu a obediência pelas coisas que sofreu e, tendo sido aperfeiçoado, tornou-se o autor da salvação eterna para todos os que lhe obedecem. (Hebreus 5.7-9)

O escritor de Hebreus nos revela que Jesus, em sua condição humana, passou por um tratamento de Deus e *aprendeu* a obediência pelas coisas que *sofreu*!

Você consegue imaginar isso? Jesus Cristo aprendeu a obediência pelas coisas que ele sofreu, inclusive a rejeição!

O escritor dessa epístola aplica isso à ocasião em que Jesus orou por um livramento da cruz no jardim do Getsêmani. Em outras palavras, Jesus estava num momento de conflito, no qual parecia que ele estava sendo abandonado por Deus. O evangelho de Mateus declara que a sua alma estava cheia de tristeza até a morte.

Isso é rejeição! A angústia e a tristeza até a morte não produzem nenhum outro sentimento, a não ser solidão e abandono! Mas, no sofrimento da rejeição, ele foi aperfeiçoado por Deus. Tal sentimento provocou dentro dele uma reação para com Deus.

Quando Deus nos leva "nas asas da águia", ele quer produzir em nós esse mesmo tipo de reação. É um tempo de crescimento!

Além de Jesus, podemos ver o mesmo exemplo de rejeição na vida do apóstolo Paulo. Depois da sua conversão em Damasco, ele foi a Jerusalém, e a Palavra nos declara que os cristãos tinham medo dele, não acreditando que fosse de fato um discípulo, e não o recebiam (Atos 9.26). Não bastasse a rejeição inicial por parte dos cristãos, Paulo também experimentou em quase todo o seu ministério uma perseguição por parte dos judeus. A sua nação também o rejeitou, razão pela qual ele ficou preso por muitos anos, fazendo que o seu julgamento fosse transferido para Roma. Não bastando isso tudo, durante o tempo em que esteve preso, foi abandonado, até mesmo por alguns dos seus colaboradores:

> Procura vir ter comigo depressa. Porque Demas, tendo amado o presente século, me abandonou e se foi para Tessalônica; Crescente foi para a Galácia, Tito para a Dalmácia. Somente Lucas está comigo. Toma contigo Marcos e traze-o, pois me é útil para o ministério (2Timóteo 4.9-11).

Paulo declarou que em sua primeira defesa ele ficou praticamente sozinho, mas que o Senhor esteve ao seu lado e o fortaleceu, e isso lhe foi um conforto.

É fácil suportarmos a rejeição no nível humano quando o Senhor está ao nosso lado, mas o que dizer quando nos sentimos rejeitados por ele?

Em sua primeira epístola aos Coríntios, Paulo desabafa num momento desses e declara que ele achava que Deus havia posto os apóstolos em último lugar (1Coríntios 4.9). Penso que esse seja um desabafo por estar no fim da fila, como quem ficou para ser atendido depois dos outros. E ele enfatiza: "a nós, *apóstolos*", como querendo dizer: "Somos apóstolos! Não devíamos estar no fim da fila, mas no início!".

Sabemos que Deus não nos rejeita, mas, então, por que ele permite situações que fazem que nos sintamos assim? O que ele quer com isso?

Ele se utiliza desse tipo de sentimento para despertar em nós uma reação, uma resposta para ele. Então, acontece conosco o mesmo que aconteceu com Jesus: ele foi aperfeiçoado pelas coisas que sofreu, inclusive a própria rejeição.

Podemos compreender melhor esse conceito, quando o apóstolo Paulo diferencia a tristeza segundo o mundo e a tristeza segundo Deus. A Bíblia não diz que nunca seríamos contristados e que só viveríamos em alegrias mil. Pelo contrário, ela diz que Deus tem uma tristeza para ser usada em seus filhos.

Contudo, ela nada tem a ver com a tristeza deste mundo. A diferença está não somente em quem a origina, mas também nos resultados que ela produz. Observe:

> Agora, me alegro não porque fostes contristados, mas porque fostes contristados para arrependimento; pois fostes contristados segundo Deus, para que, de nossa parte, nenhum dano sofrêsseis. Porque a tristeza segundo Deus produz arrependimento para a salvação, que a ninguém traz pesar; mas a tristeza do mundo produz morte (2Coríntios 7.9,10).

Qual é a diferença entre a tristeza segundo Deus e a tristeza segundo o mundo? Uma conduz à vida; outra, à morte!

Como a tristeza segundo Deus pode produzir vida em mim? Pelas reações que ela provoca em mim. Paulo fala que essa tristeza segundo Deus havia produzido uma reação interior positiva nos coríntios:

> Vede quão grande solicitude operou em vós o serdes entristecidos segundo Deus; sim, que defesa própria, que indignação, que temor, que saudade, que zelo, que vingança! Em tudo destes provas de ser inocentes neste negócio (2Coríntios 7.11, *Tradução Brasileira*).

Note as palavras "defesa", "indignação", "temor", "saudades", "zelo" e "vingança". Eu diria que o sentimento de rejeição provoca em nós uma reação desses sentimentos mencionados pelo apóstolo.

No brado de Jesus na cruz, ele mostrou saudades do Pai, indignação pelo aparente abandono, temor por estar sozinho e defesa própria. As reações podem ser claramente vistas.

No caso de Paulo, que desabafou que foi colocado por último, isso não foi diferente. Havia a indignação do fim da fila, as saudades de quem aparentemente já esteve no início da fila, a sua defesa própria, demonstrando que ele era espiritualmente melhor que os coríntios, o seu zelo pelo Senhor sendo suscitado, e a reação de um combate constante e forte.

A rejeição produz em nós a reação do nosso valor próprio, da nossa autoestima. E por que Deus a permite? Para nos ensinar a autonegação. Não há um crescimento espiritual genuíno sem que haja uma autonegação. Na hora em que Deus nos ensina a voar, além de nos dar a maturidade de viver a vida cristã sem sermos carregados no colo, Deus ainda faz isso de um modo em que podemos reconhecer o seu tratamento em nós.

Paulo declarou que, em certa ocasião, ele orou três vezes sobre um assunto e não foi atendido por Deus. Essa aparente rejeição, no entanto, era um tratamento de Deus em sua vida, para ensinar-lhe a caminhar em humildade. Tratava-se do seu espinho na carne, relatado em 2Coríntios 12.7-10.

O agir de Deus continua sendo invisível aos nossos olhos! As suas formas de agir em nós são tão variadas! Até mesmo as nossas próprias crises, como as de rejeição, podem ser um tempo em que ele fará que cresçamos em sua presença. Embora o agir de Deus nos dê a impressão algumas vezes de ser tão incerto e imprevisível, uma coisa temos como certa: ele jamais nos abandonará! Ele está conosco todos os dias, até a consumação dos séculos.

Como na mensagem do famoso poema "Pegadas na areia", há momentos em que aparentemente ficamos sozinhos, mas é justamente nessas ocasiões que o nosso Pai celestial nos carrega no colo. Precisamos compreender essa aparente rejeição, que pode ser mais um instrumento do agir invisível de Deus na nossa vida!

CAPÍTULO 6

Os aguilhões de Deus

A ideia de que Deus perdoará o rebelde
que não desistiu de sua rebelião é contrária
tanto à Escritura quanto ao bom senso.
— A. W. TOZER

Enquanto caminhava pela estrada de Damasco, Saulo teve a mais importante experiência de sua vida: ele viu Jesus, que se revelou a ele como o Cristo. Encontramos nessa revelação uma afirmação do Senhor Jesus para a qual normalmente não atentamos: "Dura coisa te é recalcitrar contra os aguilhões" (Atos 26.14).

Há uma profunda revelação divina aqui. A compreensão dessa frase afetou profundamente o meu caminhar em Deus. Eu já compartilhei que, quando um anjo do Senhor falou com um dos meus pastores na ocasião do meu reconhecimento como pastor, ele disse o seguinte sobre mim: "Ele é rebelde e não aceita o tratamento de Deus em sua vida!".

E eu não o aceitava mesmo!

Não porque eu quisesse ir contra Deus, mas por não perceber que Deus estava tentando aplicar o seu tratamento em mim. O fato, no entanto, é que eu realmente não o aceitava e, quando ouvi essa frase, que eu era rebelde, doeu em mim!

Quando o anjo do Senhor apareceu ao profeta Daniel, ele o chamou de "homem muito amado"! A outros, os anjos têm trazido muitos elogios, como Gideão, que foi chamado de "homem valente", e eu fui chamado de *rebelde*! Eu me rebelei contra aquilo, só para tentar provar a Deus que eu não era rebelde.

Eu fui a um retiro a sós com o Senhor, querendo ouvir sua voz e aprender com ele numa época em que até os termos como "tratamento" eram algo novo para mim. E eu a ouvi! O Espírito Santo me conduziu naquele tempo de oração a uma compreensão do assunto que compartilho neste capítulo e de muitas outras coisas na minha vida e na vida dos que eu pastoreava.

O AGIR INVISÍVEL DE DEUS

Deus realmente aplica o seu tratamento em nós. O livro de Hebreus declara que, se estamos sem correção, então não somos filhos. Somos bastardos! Mas Deus corrige a quem ele ama.

Não estou me referindo à correção do pecado expresso em ações apenas, mas também do que povoa o nosso íntimo: as nossas atitudes, intenções e motivações erradas, a nossa visão distorcida do Reino de Deus, a nossa falta de quebrantamento, a nossa vida egoísta e carnal, centrada somente no que pensamos e queremos.

O nosso Pai celestial sabe como lidar com tudo isso, e você pode ter a certeza de que ele aplicará o seu tratamento em nós com relação a isso.

Para entendermos melhor esse tratamento de Deus, penso que deveríamos começar com algumas definições.

Em primeiro lugar, o que é um "aguilhão"? É uma ferramenta que praticamente não conhecemos nos dias de hoje, pois a tecnologia substituiu o seu uso. Hoje em dia, a grande maioria dos campos de plantio é arada por tratores, mas, nos dias de Paulo, o arado era puxado por bois ou cavalos. Quando o animal empacava, eles usavam um "aguilhão" de metal, uma espécie de lança, para espetá-lo e fazê-lo andar de novo.

O "aguilhão", portanto, era uma longa haste de metal, com a ponta afiada, cujo propósito era produzir incômodo e dor no animal, para fazer que ele obedecesse a seu dono. Ele era usado somente nos animais teimosos e obstinados.

Veja o paralelo: Jesus disse que Paulo estava "recalcitrando contra os aguilhões", o que nos revela que Deus tem os seus aguilhões.

E com que propósito Deus tem os seus próprios aguilhões? Para usá-los na nossa vida quando empacamos com relação à sua vontade.

Os aguilhões de Deus

O tratamento de Deus sempre tem a ver com as áreas em que não permitimos facilmente que o Senhor aja em nós. Tem a ver com a nossa teimosia e rebeldia, mas o Senhor sabe como "espetar-nos" para que andemos de novo.

Esse é mais um aspecto do agir invisível de Deus. Ele age de formas misteriosas, as quais, na maioria das vezes, não são visíveis aos nossos olhos. Temos o costume de atribuir ao Diabo todas as circunstâncias negativas, mas nem sempre é assim! Há momentos em que talvez estejamos colhendo o fruto da nossa própria obstinação, e o Diabo não é o responsável não!

O que quero compartilhar neste capítulo é que, algumas vezes, o próprio Deus talvez esteja resistindo a nós. Não é fácil reconhecer Deus agindo assim, como também não é fácil reconhecer a maior parte do seu agir na nossa vida, pois ele opera longe do alcance dos nossos olhos e da compreensão da nossa mente. Se empacarmos, certamente o seu aguilhão será usado.

Tendo definido o que é um "aguilhão", creio que agora precisamos entender melhor o significado da palavra "recalcitrar", que já não é tão usada em nossos dias. "Recalcitrar" significa: "resistir; não ceder; teimar; obstinar-se; insurgir-se; desobedecer; e, no caso de um animal, dar coices".

Nos dias em que Jesus escolheu essa ilustração, havia alguns animais tão teimosos e rebeldes que, mesmo sendo aguilhoados, ainda assim não andavam. E não só não avançavam, mas também se rebelavam contra o próprio aguilhão. Ao serem espetados, ficavam embravecidos e passavam a dar coices no aguilhão. Qual era o resultado? Os animais machucavam-se muito mais ao dar coices do que quando eram aguilhoados!

O Senhor Jesus não somente revelou que Deus tem e usa os seus aguilhões, mas também que Saulo (como muitos de

O AGIR INVISÍVEL DE DEUS

nós) estava sendo por demais obstinado, além de empacado com relação a Deus. Ele estava "recalcitrando", ou seja, "dando coices" contra o aguilhão de Deus na sua vida, ou tentando lutar contra ele. Nós, os cristãos de hoje, também somos assim. Muitas vezes, quando Deus quer tratar conosco, resistimos.

Tenho certeza de que o nosso Pai celestial não quer nos tratar como os animais são tratados, mas a verdade é que muitas vezes agimos como tais. A própria Escritura nos adverte de não agirmos assim, e certamente Deus não nos advertiria dessa forma se esse nosso procedimento não fosse algo comum. Observe o que o Espírito Santo disse pela boca de Davi:

> Instruir-te-ei e te ensinarei o caminho que deves seguir; e sob as minhas vistas, te darei conselho. Não sejais como o cavalo ou a mula, sem entendimento, os quais com freios e cabrestos são dominados; de outra sorte não obedecem (Salmos 32.8,9).

A Bíblia está dizendo que os animais só obedecem na marra e menciona os freios e cabrestos usados para *forçá-los* a obedecer. Aí então somos exortados a não agir como o cavalo ou como a mula.

O fato é que, quando agimos como animais, Deus nos trata como tais. Se empacamos com relação à sua vontade, ele tem os seus aguilhões. E com certeza ele não deixará de usá-los contra a nossa caturrice!

O aguilhão da consciência

Com relação a Saulo, Deus já vinha usando os seus aguilhões, mas ele continuava recalcitrando.

Mas que aguilhões eram esses? O que já poderia estar "espetando" a vida de Paulo com relação à pessoa de Jesus Cristo? Contra o que ele já estava lutando ao ver o Senhor?

142

Os aguilhões de Deus

Em toda a Bíblia, vemos que os aguilhões de Deus podem lidar conosco interiormente (na consciência) e exteriormente (nas circunstâncias à nossa volta).

Como no caso da conversão de Paulo a Bíblia não diz nada sobre uma pressão circunstancial sobre ele, entendemos que se tratava de aguilhões espetando o seu íntimo, a sua consciência. Pela própria Escritura, podemos discernir alguns aguilhões que vinham aferroando a sua consciência:

1. Insatisfação quanto ao judaísmo.
2. A identidade de Jesus. Era fácil perseguir os seus seguidores, mas livrar-se de pensamentos com relação à identidade de Jesus não era assim tão simples. Nenhum homem jamais havia operado tantos milagres!
3. O testemunho de cristãos que, mesmo diante de perseguições e da morte, estavam cheios de alegria e perdão.

Certamente todas essas coisas vinham dando uma espécie de "nó" na cabeça de Paulo. Ele estava tremendamente desgostoso com um judaísmo que não lhe comunicara vida, e o que lhe faltava de justiça, paz e alegria sobejava aos cristãos que se dispunham a morrer por Jesus.

Quem era esse "Homem" afinal de contas? Creio que Paulo deve ter feito essa pergunta a si mesmo centenas de vezes, mas em momento algum ele cedia à ideia de que Jesus podia ser o Messias de Deus. E, com todas essas evidências, o Senhor foi "espetando" Paulo por dentro, mas ele era teimoso e relutava contra isso. Ele estava recalcitrando contra os aguilhões, até que o Senhor lhe apareceu.

O AGIR INVISÍVEL DE DEUS

Eu conheci pessoas que eram totalmente contrárias ao mover do Espírito Santo na Igreja, que lutavam com unhas e dentes contra a obra de renovação espiritual que o Senhor estava fazendo, e que começaram a ser "torturadas" por dentro, com pensamentos de que somente Deus poderia estar fazendo isso. Elas me relataram que, enquanto os seus lábios negavam essa obra, era como se, aos poucos, a sua mente e o seu coração começassem a dizer "sim"! E essa guerra interior as deixava realmente aborrecidas.

Eu não sei como dimensionar o que Paulo passou, pois foi uma experiência pessoal dele, mas sei que certamente ele enfrentou lutas interiores.

Esse é o primeiro nível da aguilhoada de Deus. O Senhor sempre começa falando ao nosso interior de uma forma tão meiga e suave que às vezes até podemos pensar que não poderia ser Deus falando conosco. Depois, no entanto, essa voz começa a insistir tanto, a ponto de tornar-se até incômoda.

Lembro-me de quando eu estava num ministério itinerante de apoio a igrejas, e Deus começou a falar ao meu coração sobre a necessidade de eu pastorear. Eu sempre dizia que a última coisa que queria na vida era ser pastor e, de repente, vi o meu coração começando a concordar com Deus, e uma luta muito grande iniciou-se no meu íntimo, entre ceder a isso ou ao que a minha boca dizia. A princípio, isso parecia ser apenas um pensamento qualquer, mas depois se tornou uma ideia mais clara. Finalmente, tive um desejo de pastorear. Contudo, a minha razão me dizia que não havia pressa, que eu poderia esperar mais tempo para ver como as coisas se conduziriam. E eu recalcitrei contra esse aguilhão interior como pude, até que o Senhor passou ao segundo nível.

Os aguilhões de Deus

O aguilhão circunstancial

Quando não cedemos ao aguilhão da consciência, Deus poderá avançar a outro nível de aguilhoada: o das circunstâncias adversas! Penso que o melhor exemplo desse tipo de aguilhão pode ser encontrado na vida do profeta Jonas.

> Veio a palavra do Senhor a Jonas, filho de Amitai, dizendo: Dispõe-te, vai à grande cidade de Nínive, e clama contra ela, porque a sua malícia subiu até mim. Jonas se dispôs, mas para fugir da presença do Senhor para Társis; e, tendo descido a Jope, achou um navio que ia para Társis; pagou, pois, a sua passagem, e embarcou nele, para ir com eles para Társis, para longe da presença do Senhor. (Jonas 1.1-3)

O Senhor comissionou Jonas a proclamar contra o pecado de Nínive, mas ele sabia que, se o fizesse, os ninivitas poderiam arrepender-se, e, nesse caso, seriam poupados. Desejando que eles fossem destruídos pela ira e pelo juízo de Deus, por julgá-los cruéis e merecedores de tal sorte, Jonas decide não levar-lhes a mensagem divina e se rebela contra Deus. E, ao rebelar-se, ele experimenta os aguilhões de Deus em sua vida:

> Mas o Senhor lançou sobre o mar um forte vento, e fez-se no mar uma grande tempestade, e o navio estava a ponto de se despedaçar. Então os marinheiros, cheios de medo, clamavam cada um ao seu deus, e lançavam no mar a carga, que estava no navio, para o aliviarem do peso dela. Jonas, porém, havia descido ao porão, e se deitado; e dormia profundamente. Chegou-se a ele o mestre do navio, e lhe disse: Que se passa contigo? Agarrado no sono? Levanta-te, invoca o teu deus; talvez assim esse deus se lembre de nós para que não pereçamos. E diziam uns aos outros: Vinde, e lancemos sortes, para que saibamos por causa de quem nos sobreveio este mal. E lançaram sortes, e a sorte caiu sobre Jonas. Então lhe

O AGIR INVISÍVEL DE DEUS

disseram: Declara-nos, agora, por causa de quem nos sobre-
veio este mal. Que ocupação é a tua? Donde vens? Qual é tua
terra? E de que povo és tu? Ele lhes respondeu: Sou hebreu,
e temo ao SENHOR, o Deus do céu, que fez o mar e a terra.
Então os homens ficaram possuídos de grande temor, e lhe
disseram: Que é isto que nos fizeste? Pois sabiam os homens
que fugia da presença do SENHOR, porque lho havia declarado
(Jonas 1.4-10).

Esse foi o primeiro aguilhão de Deus na vida de Jonas.
O Senhor enviou-lhe uma grande tempestade. Sempre que
falamos de tempestades, pensamos em adversidades, dificuldades, pois é exatamente isso que elas significam. Contudo,
geralmente vemos em Satanás a origem das adversidades, mas,
nesse caso, a Bíblia diz que foi Deus que as enviou!

É lógico que o Senhor pode fazer que o Diabo trabalhe
para ele, permitindo uma investida contra áreas específicas
da nossa vida, mas isso não quer dizer que Satanás esteja no
controle da situação. E há tempestades como a do caso de Jonas,
que o próprio Deus envia!

A nossa rebeldia desencadeia aguilhoadas de Deus, as
quais, muitas vezes, podem vir por meio de circunstâncias
adversas que são enviadas por Deus mesmo. E, nessas horas,
não adianta orar, repreender o Diabo, nem jejuar. A única coisa
que podemos e devemos fazer é arrependermo-nos e abando-
narmos a rebeldia.

Enquanto Jonas não se posicionou, a tempestade ficava
cada vez pior. É assim, também, com muitos cristãos rebeldes.
Há muitas pessoas em rebeldia, que vivem correndo atrás de
igrejas e pregadores, como se uma oração resolvesse os seus
problemas. Mas o que é preciso, quando Deus está usando o
seu aguilhão, é desempacarmos e decidirmos obedecer-lhe!

146

Os aguilhões de Deus

Jonas, no entanto, não cedeu ao aguilhão de Deus. Pelo contrário, ele recalcitrou, e machucou-se ainda mais. Ele deve ter pensado: "Se Deus pensa que vou desistir tão facilmente assim, está enganado! Ele enviou a tempestade para me assustar, para eu ficar com medo da morte, mas eu sou 'duro na queda' e não recuarei! Se é para morrer, que eu morra, mas não irei a Nínive!".

E ele decidiu morrer afogado, em vez de obedecer ao Senhor:

> Disseram-lhe: Que te faremos, para que o mar se nos acalme? Porque o mar ia se tornando cada vez mais tempestuoso. Respondeu-lhes: Tomai-me, e lançai-me ao mar, e o mar se aquietará; porque eu sei que por minha causa vos sobreveio esta grande tempestade. Entretanto os homens remavam, esforçando-se por alcançarem a terra, mas não podiam; porquanto o mar ia se tornando cada vez mais tempestuoso contra eles. Então clamaram ao SENHOR, e disseram: Ah! SENHOR! Rogamos-te que não pereçamos por causa da vida deste homem, e não faças cair sobre nós este sangue inocente; porque tu, SENHOR, fizeste como te aprouve. E levantaram a Jonas, e o lançaram ao mar; e cessou o mar da sua fúria. Temeram, pois, estes homens em extremo ao SENHOR; e ofereceram sacrifícios ao SENHOR, e fizeram votos (Jonas 1.11-16).

Note que a tempestade enviada por Deus era progressiva. Quanto mais os homens tentavam chegar a terra, remando, mais tempestuoso ficava o mar. Quando Deus usa o seu aguilhão, não há escapatória, a não ser que cedamos e nos arrependamos.

Jonas não se intimidou diante do risco de morte e preferiu morrer a abandonar a sua teimosia. Ele queria morrer, pois estava muito desgostoso com Deus. Contudo, Deus começou a "jogar duro" com ele e não permitiu que ele morresse.

147

O AGIR INVISÍVEL DE DEUS

Em momento algum, o Senhor queria destruir Jonas; pelo contrário, ele queria aplicar o seu tratamento nele. Lembre--se de que este é o nosso assunto: o misterioso agir do Pai lidando conosco. Deus, portanto, recusou-se a permitir que Jonas morresse: "Deparou o Senhor um grande peixe, para que tragasse a Jonas; e esteve Jonas três dias e três noites dentro do peixe" (Jonas 1.17).

O profeta queria que tudo tivesse acabado sem que ele precisasse ceder, mas Deus não permitiu isso. Aí então veio o segundo aguilhão, o qual, nas palavras de Jonas em sua oração, foi quando "todas as ondas e vagas de Deus passaram sobre ele" (Jonas 2.3). Muitos não creem no relato do livro de Jonas, mas vale lembrar que Jesus se referiu a ele não só como um escrito histórico, mas também tipológico (Mateus 12.39-41).

É interessante que, no navio, Jonas ficou firme e não cedeu, mas, quando Deus "pegou pesado" com ele, enviando um peixe que o engoliu vivo, impedindo-o até mesmo de morrer e trazendo-lhe ainda mais sofrimento, então ele se rendeu. Temos em seu livro o relato da oração que ele fez no ventre do peixe:

> Então Jonas, do ventre do peixe, orou ao Senhor seu Deus, e disse: Na minha angústia clamei ao Senhor, e ele me respondeu; do ventre do abismo gritei, e tu me ouviste a voz. Pois me lançaste no mais profundo, no coração dos mares, e a corrente das águas me cercou; todas as tuas ondas e vagas passaram por cima de mim. Então disse: Lançado estou diante dos teus olhos; tornarei, porventura, a ver teu santo templo? As águas me cercaram até à alma, o abismo me rodeou; e as algas se enrolaram na minha cabeça até aos fundamentos dos montes. Desci à terra, cujos ferrolhos se correram sobre mim para sempre; contudo fizeste subir da sepultura a minha vida, ó Senhor meu Deus!

Os aguilhões de Deus

> Quando dentro de mim desfalecia a minha alma, eu me lembrei do SENHOR; e subiu a ti a minha oração, no teu santo templo. Os que se entregam à idolatria vã abandonam aquele que lhes é misericordioso. Mas com a voz do agradecimento eu te oferecerei sacrifício; o que votei, pagarei. Ao SENHOR pertence a salvação! (Jonas 2.1-9).

Imagine só o estado deplorável (e até cômico) de Jonas, com todas aquelas algas enroladas em seu pescoço e em sua cabeça, três dias e três noites molhado, no escuro, sem comer, com enjoo, além de tudo mais que ele sofreu e que nem sabemos!

Deus sabe como nos "quebrar". Se endurecemos e empacamos, ele nos aguilhoa. Se começamos a recalcitrar, ele sabe exatamente como lidar conosco. Jonas rendeu-se, fez questão de deixar bem claro em sua oração que ele pagaria todos os seus votos (o que provavelmente indicava que ele aceitaria ser obediente e que levaria a mensagem de Deus a Nínive). Como ele cedeu e se arrependeu, Deus retirou o seu aguilhão: "Falou, pois, o SENHOR ao peixe, e este vomitou a Jonas na terra" (Jonas 2.10).

Aí então o Senhor falou novamente com Jonas no sentido de ele ir e pregar aos ninivitas, e, dessa vez, obedeceu. Ele foi e pregou o juízo que Deus estabelecera durante um dia inteiro. Surgiu um avivamento, e todos, desde o menor até o maior, se arrependeram. E Deus não destruiu a cidade.

Contudo, o comportamento de Jonas nos revela que, mesmo tendo obedecido a Deus, ele não o fez de coração. Ele agiu como aquele menino que a professora põe de castigo, em pé diante da classe, e que diz: "Por fora eu estou em pé, mas, por dentro, estou sentado!". Em outras palavras, ele até obedeceu, mas não de coração.

O AGIR INVISÍVEL DE DEUS

> Com isso desgostou-se Jonas extremamente, e ficou irado. E orou ao SENHOR, e disse: Ah! SENHOR! Não foi isto que eu disse, estando ainda na minha terra? Por isso me adiantei fugindo para Társis, pois sabia que és Deus clemente e misericordioso, tardio em irar-se e grande em benignidade, que se arrepende do mal. Peço-te, pois, ó SENHOR, tira-me a vida, porque melhor me é morrer do que viver. (Jonas 4.1-3)

Nessa hora, Jonas voltou a agir como um animal e empacou. Portanto, ele precisava de mais uma aguilhoada, e Deus deu-lhe uma terceira "espetada". Ele estava tão contrariado que, quando o Senhor perguntou-lhe se a sua ira era razoável, ele virou a cara e não respondeu. Saiu da cidade e ficou remoendo sua bronca.

Foi aí que o Senhor o "pegou de jeito" mais uma vez. Dessa vez, Deus deu algo a Jonas, para tirá-lo mais tarde. Penso que isso retrata o Senhor mexendo na própria estabilidade que um dia ele nos deu, a fim de fazer que cedamos.

O tratamento de Deus visa justamente mudar os nossos conceitos e valores, e isso aconteceu com o profeta. O livro termina com Deus falando por último, não Jonas, o que nos mostra que ele aprendeu a parar de retrucar e empacar.

Nós também precisamos aprender isto: que independentemente do que achamos, ou estamos sentindo, Deus sempre tem razão! Ele é perfeito e não erra nunca! Precisamos aceitar isso com uma fé infantil e nunca mais empacarmos com relação à vontade divina.

> Então Jonas saiu da cidade, e assentou-se ao oriente da mesma e ali fez uma enramada, e repousou debaixo dela, à sombra, até ver o que aconteceria à cidade. Então fez o SENHOR Deus nascer uma planta, que subiu por cima de

Os aguilhões de Deus

Jonas, para que fizesse sombra sobre a sua cabeça, a fim de o livrar de seu desconforto. Jonas, pois, se alegrou em extremo por causa da planta. Mas Deus, no dia seguinte, ao subir da alva, enviou um verme, o qual feriu a planta, e esta se secou. Em nascendo o sol, Deus mandou um calmoso vento oriental; o sol bateu na cabeça de Jonas, de maneira que desfalecia, pelo que pediu para si a morte, dizendo: Melhor me é morrer do que viver. Então perguntou Deus a Jonas: É razoável esta tua ira por causa da planta? Ele respondeu: É razoável a minha ira até a morte. Tornou o SENHOR: Tens compaixão da planta que não te custou trabalho, a qual não fizeste crescer; que numa noite nasceu e numa noite pereceu; e não hei de eu ter compaixão da grande cidade de Nínive, em que há mais de cento e vinte mil pessoas, que não sabem discernir entre a mão direita e a mão esquerda, e também muitos animais? (Jonas 4.5-11)

Imagine Jonas vendo uma planta crescer no prazo de um dia, com uma velocidade assustadora, algo nunca visto antes, um milagre! E esse milagre animou o coração de Jonas. É bem provável que ele tenha achado que estava vencendo o jogo, que Deus já estava se dobrando diante dele, e até mesmo paparicando-o. De repente, Deus lhe arrancou das mãos a única coisa que era valiosa para ele naquela hora! E Jonas teve que se render, pois, se ele continuasse se endurecendo, Deus também endureceria com ele.

Quando Jonas se rende, o livro termina, pois é a história dos aguilhões de Deus na vida do profeta!

Muitas vezes, passamos por aflições e angústias que nós mesmos geramos. Precisamos de um coração submisso à vontade do Pai, que saiba orar como Jesus orou no jardim Getsêmani: "não seja como eu quero, e, sim, como tu queres" (Mateus 26.39).

Os aguilhões na minha vida

Eu mencionei que Deus já vinha há algum tempo aguilhoando a minha consciência com relação ao ministério pastoral. Contudo, resisti à sua voz mansa e suave que tentava convencer o meu coração. Eu continuava ciente de que ele queria que eu estivesse no ministério pastoral, fora da correria em que nos encontrávamos, mas não fazia nada a respeito e ainda discutia *por dentro* com Deus. Em muitas circunstâncias adversas, Deus me espetou, mas eu não cedi, até aquele acidente na estrada.

Foi nesse momento que o seu aguilhão em minha vida deixou de espetar-me somente por dentro, mas começou a fazê-lo também do lado de fora, nas circunstâncias.

Fazia um mês que eu estava com aquele carro, que era uma resposta de oração, e eu me sentia como Jonas com relação àquela planta. Parecia que Deus havia "colocado o doce na boca da criança", só para tirá-lo depois. Eu também tive vontade de morrer por achar que Deus estava brincando comigo. Mas, finalmente, compreendi que estava lutando contra a vontade de Deus. Eu queria que as coisas acontecessem do meu jeito. Eu tinha meus próprios planos para o ministério e ainda relutava com o plano de Deus, mas, quando me rendi, os aguilhões cessaram, e a graça de Deus me envolveu!

Se resistirmos, o aguilhão também será insistente, mas, se cedermos, o Senhor lidará conosco com brandura e amor.

Se você tem sido aguilhoado por Deus, ceda! Não fique recalcitrando, pois, em certo momento, o tratamento cessa, e o que vem depois é juízo!

Devemos aprender que é possível viver sem que tenhamos de provar os aguilhões de Deus. Basta andarmos em plena submissão.

Os aguilhões de Deus

Mas, como nem todos (para não dizer ninguém) andam nessa dimensão de rendição, torna-se inevitável o uso deles.

Muitas vezes, a nossa obediência é meramente externa, de atitudes apenas. Contudo, é preciso que nos rendamos de coração ao Senhor. Há momentos em que temos de ser sábios e sensíveis e discernir espiritualmente o agir de Deus, ainda que ele esteja oculto aos nossos olhos.

Não adianta ficarmos culpando o Diabo e companhia. Temos de reconhecer que, quanto mais endurecermos, tanto mais Deus endurecerá também! É necessário contrição e quebrantamento, e, se não nos rendermos espontaneamente, Deus nos espetará!

Não estou tentando pintar uma caricatura de Deus. Muitas pessoas fazem isso e o distorcem completamente. Não servimos a um Deus tirano, que vive nos perseguindo para castigar-nos e tirar o nosso couro. Essa é uma imagem distorcida, uma caricatura que alguns fazem dele e que em nada reflete a verdade. O que estou querendo aqui é apenas mostrar que Deus é infinitamente amoroso, mas que também ele disciplina com firmeza.

Não estou dizendo que ele nos aguilhoará a troco de nada, somente por diversão. Refiro-me a ocasiões específicas de rebelião dos seus filhos.

É lógico que, ao falar de rebelião, não estou me referindo a um crente desviado, que abandonou tudo e se jogou no mundão, mas, sim, a atitudes como as de Jonas, em que não nos dobramos diante da vontade divina e ficamos lutando por aquilo que achamos certo.

Contudo, Deus não está em posição de ser questionado, tampouco desafiado, e toda rebeldia será tratada por ele, que quer fazer que voltemos à submissão que deve reger a nossa vida.

Os aguilhões de Deus não fazem parte do cotidiano; são ocasionais, extraordinários. Contudo, eles existem e certamente serão usados quando necessário. Eles fazem parte do agir invisível de Deus, da sua forma soberana de fazer que todas as coisas contribuam para o bem dos que o amam e são chamados segundo o seu propósito.

Capítulo 7

Os abalos de Deus

Deus destrói o teu conforto com o único
objetivo de destruir as tuas corrupções;
as privações têm o objetivo de fazer morrer a devassidão;
a pobreza tem o desígnio de matar o orgulho;
as repreensões são consentidas para acabar com a ambição.
— John Flavel

Você já ouviu falar dos abalos de Deus?

É provável que não. Esse, pois, não é o tipo de mensagem que seja popular nos nossos dias; mas existe e está acontecendo muito no meio evangélico! E creio que aumentará ainda mais!

Visto que isso é uma promessa para os tempos do fim, é lógico pensar que, quanto mais nos aproximarmos do fim, mais se intensificarão os abalos, os quais compõem mais uma parcela interessante *do agir invisível de Deus*.

Eles são o modo pelo qual Deus faz que a nossa vida seja chacoalhada, para que as coisas abaláveis sejam removidas e as inabaláveis permaneçam. O autor da epístola aos Hebreus foi divinamente inspirado para falar acerca disso.

> Tende cuidado, não recuseis ao que fala. Pois, se não escaparam aqueles que recusaram ouvir quem divinamente os advertia sobre a terra, muito menos nós, os que nos desviamos daquele que dos céus nos adverte, aquele, cuja voz abalou, então, a terra; agora, porém, ele promete, dizendo: Ainda uma vez por todas farei abalar não só a terra, mas também o céu. Ora, esta palavra: Ainda uma vez por todas, significa a remoção dessas coisas abaladas, como tinham sido feitas, para que as coisas que não são abaladas permaneçam. Por isso, recebendo nós um reino inabalável, retenhamos a graça, pela qual sirvamos a Deus de modo agradável, com reverência e santo temor; porque nosso Deus é um fogo consumidor. (Hebreus 12.25-29)

Vemos que a rebeldia dos que não dão ouvidos à voz divina será repreendida com abalos. Note que não estamos falando sobre Deus recompensar a fidelidade com abalos, e sim que os abalos são para os que rejeitam a sua voz, ou seja, a sua Palavra. Portanto, o texto se refere a cristãos que não estão dando ouvidos à Palavra de Deus em *determinadas áreas da vida*.

O AGIR INVISÍVEL DE DEUS

Esse nível de tratamento e correção de Deus na nossa vida não se classifica como uma provação sobre os fiéis, e sim como uma correção aos rebeldes. E vem naquelas áreas em que ainda não estamos correspondendo ao que ele diz em sua Palavra. São áreas da nossa vida cristã e do nosso caráter nas quais necessitamos ser trabalhados, e é justamente por isso que os abalos vêm.

O Senhor fala claramente que ele trará os seus abalos. Na verdade, ele promete que os trará, e é de esperar que ele cumpra a sua promessa, pois ele é fiel!

O texto bíblico fala de abalos sísmicos (tremores de terra, ou terremotos). Nunca vi pessoalmente um terremoto (e confesso que jamais gostaria de ver um), mas o que eu vi pela televisão e por fotografias já foi suficiente para me assustar. As pessoas ficam completamente indefesas, e o governo e as autoridades nada podem fazer. Tudo o que podemos fazer num terremoto, além de tentar preservar a nossa vida, é esperar até que ele passe para vermos o que dá para reaproveitar depois.

Os abalos mencionados na epístola aos Hebreus são uma aplicação de outros dois textos bíblicos: o primeiro é quando Deus diz a Moisés que falaria com ele no monte, aos ouvidos de todo o povo, para que soubessem que o Senhor falava com ele e cressem em seu ministério; o segundo é parte de uma profecia de Ageu que citaremos adiante. Tanto um como o outro refletem os abalos que espiritualmente o Senhor pode trazer à nossa vida (com um propósito específico).

Nessa ocasião em que Deus se revelou ao povo de Israel, o que aconteceu foi o seguinte:

> Ao amanhecer do terceiro dia houve trovões e relâmpagos e uma espessa nuvem sobre o monte, e mui forte clangor de trombeta, de maneira que todo o povo que estava no arraial estremeceu.

158

> E Moisés levou o povo fora do arraial ao encontro de Deus; e puseram-se ao pé do monte. Todo o monte Sinai fumegava, porque o SENHOR descera sobre ele em fogo; a sua fumaça subiu como fumaça de uma fornalha, e todo o monte tremia grandemente (Êxodo 19.16-18).

É exatamente sobre esse acontecimento que o escritor de Hebreus vinha falando nos versículos anteriores, mostrando que há uma grande diferença entre as manifestações do Antigo e do Novo Testamentos. Contudo, no que diz respeito a Deus trazer abalos pela sua Palavra, nada mudou. Essa é a mensagem do fim do capítulo 12 de Hebreus.

Quando os abalos de Deus chegam à nossa vida, são semelhantes a um terremoto!

Não há o que fazer!

Nenhum pastor pode orar e vê-lo passar imediatamente, tampouco a própria pessoa.

Tudo o que podemos fazer é tentar nos salvar (não deixando que o Diabo nos desanime, a ponto de fazer que desistamos) e esperar que o terremoto passe, para ver o que sobrou e o que terá de ser reconstruído.

Alguém poderia argumentar que esse texto de Hebreus aparentemente não fala de algo acontecendo no âmbito individual, mas ele não somente sugere essa aplicação pessoal (ao falar de outras pessoas que não deram ouvidos à voz de Deus), mas também cita outra porção bíblica de aplicação pessoal, do livro do profeta Ageu (Ageu 2.7,8).

Os abalos nos dias de Ageu

Ageu foi a primeira voz profética que se levantou entre os israelitas depois do exílio na Babilônia. A reconstrução do templo

O AGIR INVISÍVEL DE DEUS

havia sido interrompida e estava parada havia cerca de quinze anos. O povo não se envolvia na retomada da restauração, dizendo que o tempo de reconstruir a casa de Deus ainda não havia chegado. Então o Senhor o enviou com uma mensagem de repreensão ao seu povo, mostrando que, enquanto eles não obedecessem à voz divina, Deus *continuaria abalando* a vida financeira deles, que já não estava nada fácil.

> Veio, pois, a palavra do SENHOR, por intermédio do profeta Ageu, dizendo: Acaso é tempo de habitardes vós em casas apaineladas, enquanto esta casa permanece em ruínas? Ora, pois, assim diz o SENHOR dos Exércitos: Considerai o vosso passado. Tendes semeado muito e recolhido pouco; comeis, mas não chega para fartar-vos; bebeis, mas não dá para saciar--vos; vestis-vos, mas ninguém se aquece; e o que recebe salário, recebe-o para pô-lo num saquitel furado. (Ageu 1.3-6)

Embora as condições materiais dos israelitas fossem ruins, se a profecia parasse aqui, ninguém diria que Deus estava por trás disso. Quando pensamos no agir de Deus, pensamos em provisão, em prosperidade, nunca no contrário. Contudo, observando a continuação da profecia dada por intermédio de Ageu, percebemos que a mão do Senhor estava estendida contra a nação de Israel, fazendo que a sua economia fosse abalada, sacudida. Era o próprio Deus abalando a vida financeira daquele povo.

> Esperastes o muito, e eis que o muito veio a ser pouco, e este pouco, quando o trouxeste para casa, eu com um assopro o dissipei. Por quê? Diz o SENHOR dos Exércitos; por causa da minha casa, que permanece em ruínas, ao passo que cada um de vós corre por causa da sua própria casa. Por isso os céus sobre vós retêm o seu orvalho, e a terra os seus frutos. Fiz vir

Os abalos de Deus

a seca sobre a terra e sobre os montes; sobre o cereal, sobre o vinho, sobre o azeite e sobre o que a terra produz; como também sobre os homens, sobre os animais e sobre todo o trabalho das mãos. (Ageu 1.9-11)

É estranho demais vermos Deus dizendo que ele mesmo fez que o muito esperado se tornasse pouco na colheita do seu povo e, ainda depois, que ele tenha assoprado sobre o pouco, fazendo que se dissipasse. Isso não combina com a mensagem de prosperidade dos nossos dias. Deus mandando os céus reter o orvalho e a terra reter o seu fruto; muito menos também ele fazer vir a seca!

Contudo, Deus fez tudo isso! Por quê? Porque somente abalando as coisas naturais da vida do seu povo é que as coisas espirituais teriam lugar! Eles só estavam pensando em si mesmos e haviam abandonado a restauração da casa do Senhor; mas Deus conseguiu recuperar a atenção e o serviço deles de uma forma muito especial.

Quando o escritor de Hebreus escreveu que as coisas abaláveis seriam removidas, ele também falou que as inabaláveis permaneceriam, e então acrescentou que recebemos um reino inabalável! Em outras palavras, quando estamos sufocando as coisas espirituais por causa de uma dedicação dirigida somente ao que é natural, Deus pode estremecer o que é abalável, o natural, para que, caindo essas coisas, permaneça na nossa vida somente o que é espiritual, e então a nossa reconstrução poderá começar a partir desse ponto.

Certa ocasião, Jesus contou uma parábola sobre um rico insensato que só queria edificar para si mesmo, não para Deus. Ele fazia planos para aumentar a sua produção e armazenagem, para depois poder dizer a si mesmo que descansasse e se regalasse por ter bens para muitos anos. Deus, no entanto, chamou esse homem de louco, pois o que ele tinha preparado era para si mesmo, e, quando a sua alma fosse pedida, de nada lhe adiantaria tanta riqueza. Finalmente, o Senhor Jesus concluiu: "Assim é o que entesoura para si mesmo e não é rico para com Deus" (Lucas 12.21).

De nada adianta edificar somente para nós mesmos. Devemos edificar para o Senhor na nossa vida, pois, quando os seus abalos vierem, só ficará de pé o que construímos para o Senhor, e o que é nosso, o que é humano, cairá. Em Lucas 14.28-30, Jesus assemelhou a vida cristã à edificação de uma torre, mostrando que também edificamos no plano espiritual.

O Senhor começou a me fazer compreender palavras como essas num momento em que a vida de muitos irmãos da igreja que pastoreávamos na época vinha sendo abalada, e não entendíamos o que estava acontecendo. Muitos estavam passando por verdadeiros terremotos, e todas as áreas de sua vida estavam sendo sacudidas. Orávamos e não víamos intervenções espetaculares como antes! O céu aparentava ser de bronze, pois parecia que não haveria respostas às orações.

Foi nesse período que Deus começou a trazer essa compreensão à nossa equipe pastoral, em que víamos biblicamente que o próprio Deus pode sacudir a nossa vida para, a partir daí, reorganizar os nossos valores e prioridades. Assim que esse ensino começou a ser ministrado com uma sólida base bíblica, muitos irmãos compreenderam o que estava acontecendo com eles e mudaram de atitude. Foi então, e somente então, que as intervenções de Deus tiveram lugar em muitas dessas pessoas. Tenho percebido isso não somente na minha vida e igreja, mas também em contato com muitas outras igrejas e pastores. É um fato!

Assim como nos dias de Ageu, quando nos esquecemos das coisas de Deus e queremos buscar somente as nossas próprias coisas, Deus não somente deixa de ter um compromisso de nos abençoar, mas também pode julgar-nos e disciplinar-nos, uma vez que a responsabilidade da edificação do Reino de Deus é nossa! No entanto, quando procedemos da forma contrária e pomos o Senhor em primeiro lugar, tudo muda! A bênção e a provisão divina fluem milagrosa e abundantemente, como prometeu o nosso Senhor: "Buscai, pois, em primeiro lugar, o seu reino e a sua justiça, e todas estas coisas vos serão acrescentadas" (Mateus 6.33).

Por que Deus estava sacudindo as finanças do seu povo naqueles dias, depois do exílio?

Porque os israelitas haviam se tornado egoístas e descomprometidos com o Reino de Deus, e o propósito desses abalos era mudar a atitude do povo.

Quando eles compreenderam que os abalos eram uma forma de Deus fazer que voltassem a investir na sua casa, eles se animaram a obedecer, com a promessa divina de que aí então a prosperidade viria sobre eles. Em uma de suas profecias, Ageu deixou claro que os abalos visavam trazer a Deus os recursos para a restauração da sua casa:

> Pois assim diz o SENHOR dos Exércitos: Ainda uma vez, dentro em pouco, farei abalar o céu, a terra, o mar, e a terra seca; farei abalar todas as nações e as coisas preciosas de todas as nações virão, e encherei de glória esta casa, diz o SENHOR dos Exércitos. Minha é a prata, meu é o ouro, diz o SENHOR dos Exércitos. A glória desta última casa será maior do que a primeira, diz o SENHOR dos Exércitos; e neste lugar darei a paz, diz o SENHOR dos Exércitos (Ageu 2.6-9).

O AGIR INVISÍVEL DE DEUS

Deus nunca está contra o seu povo. Esses abalos visavam corrigi-lo, curá-lo, não destruí-lo! Tão logo voltaram a cumprir a vontade de Deus, foram abençoados.

Quando o livro de Hebreus fala sobre os abalos de Deus, ele também fala sobre "retermos a graça" (Hebreus 12.28), pela qual servimos a Deus de forma agradável. "Reter", significa "não perder, não desperdiçar". Isso nos mostra que, mesmo em meio aos abalos divinos, podemos estar sob a graça de Deus, desde que não nos rebelemos, insistindo em deixar os nossos valores invertidos, de forma contrária aos valores da Palavra.

Quando somos abalados pelo tratamento divino, devemos corresponder em obediência e mudança de mente, de atitude. Ao obedecermos, a disciplina dará lugar à bênção do Senhor!

Foi nesses mesmos dias e condições que Malaquias também foi usado por Deus para profetizar ao povo e desafiá-lo a honrar o trabalho de reconstrução do templo. Ele falou, inspirado pelo Espírito Santo, que à medida que o povo voltasse a entregar os seus dízimos e ofertas alçadas, Deus abriria as janelas do céu e derramaria uma grande bênção, que não seria igualada a nenhuma outra bênção (Malaquias 3.8-12)!

A partir do momento em que os israelitas decidiram seguir a voz divina e obedecer-lhe, eles viram a bênção de Deus sobre sua vida:

> Considerai, eu vos rogo, desde este dia em diante, desde o vigésimo quarto dia do mês nono, desde o dia em que se fundou o templo do SENHOR, considerai nestas coisas. Já não há semente no celeiro. Além disso a videira, a figueira, a romeira e a oliveira não têm dado os seus frutos; mas desde este dia vos abençoarei (Ageu 2.18,19).

Os abalos de Deus

Deus de fato abalou a vida financeira deles, mas somente até que voltassem a priorizar o Reino de Deus. Ele abalou as coisas abaláveis, para que as inabaláveis permanecessem. Deus é soberano e governa em toda e qualquer circunstância, fazendo que tudo contribua para o bem dos que o amam, dos que são chamados segundo o seu propósito.

Nem sempre podemos entender o invisível e misterioso agir de Deus, mas sempre podemos ter a certeza de que é para o nosso próprio bem que ele aplica os seus tratamentos em nós e nos corrige.

Talvez a sua vida esteja sendo abalada pelo Senhor e você não saiba o que fazer. Aliás, não há realmente nada a fazer quando os abalos divinos chegam, a não ser suportar e reconstruir com o que sobrou.

Deus quer mudar os seus valores, para que você coloque o reino dele em primeiro lugar. E, quando você o fizer, esse processo será invertido, e então ele o abençoará e o levará à reconstrução de tudo o que ruiu, porém com novos alicerces!

Eu já experimentei esses abalos em momentos em que não havia necessariamente deixado de ter o Reino de Deus em primeiro lugar, mas em que eu estava me afastando do plano de Deus para a minha vida. De uma forma geral, eles sempre vêm como uma correção, quando não estamos dando ouvidos à voz de Deus.

Se você tem percebido esses tremores e abalos em sua própria vida, não demore em separar um tempo para estar com o Senhor e sondar o seu próprio coração.

Muitas pessoas reclamam que o Pai jamais fala com elas, mas, na verdade, elas nunca separam um tempo para ouvi-lo! Fique a sós com Deus e derrame o seu coração diante dele.

165

Permita que ele fale sobre os seus valores (o que está certo e o que não está certo). Não se justifique, nem tente provar nada. Procure ouvir a voz de Deus, que poderá manifestar-se de formas diversas. Você talvez terá uma experiência extraordinária e sobrenatural, como também poderá simplesmente receber em seu coração determinadas passagens bíblicas "avivadas", por meio das quais Deus falará com você. Eu não sei de que maneira Deus falará, mas, se houver uma disposição e entrega da sua parte, ele certamente falará.

Como no caso dos aguilhões, assim também acontece com os abalos de Deus. Não há nada que os remova, a não ser arrependimento e submissão. É somente por meio da nossa obediência e mudança de atitude que o quadro é revertido.

Do mesmo modo que os israelitas dos dias de Ageu tiveram que mudar os seus valores e comportamento, para então verem a bênção do Senhor, em vez dos abalos, assim nós também temos que reordenar os nossos valores e comportamento para vermos tudo mudar.

Não conseguimos ver Deus agindo em meio a um desmoronamento geral na nossa vida, mas devemos nos lembrar de que o seu agir é assim mesmo: invisível!

É lógico que não estamos falando do melhor de Deus para nós, mas, sim, de correção. O plano do Senhor é abençoar-nos, é fazer o melhor para nós!

Eu creio que o Pai prefere não ter que abalar a nossa vida. Contudo, é por causa da dureza do nosso coração e da nossa obstinação que ele nos trata dessa maneira. Não haveria abalos se não nos desviássemos da sua vontade, pois eles só ocorrem quando algo está errado na nossa forma de agir.

Os abalos de Deus

Os abalos de Deus se originam na nossa desobediência, em caso de, em nossa rebeldia, nos desviarmos dos propósitos divinos.

E a intensidade dos abalos sempre vem em proporção direta à nossa distorção de valores ou à nossa resistência ao Senhor e ao seu plano. Eles nunca são maiores nem menores do que necessitamos.

CAPÍTULO 8

Planos de bem, não de mal

Por meio das provas aprendemos a conhecer
as nossas próprias debilidades,
mas também a fidelidade de Deus.
—John Nelson Darby

DEUS *SEMPRE* DESEJA O NOSSO BEM. Até mesmo quando ele permite situações contrárias para aplicar o seu tratamento em nós, ele quer, sem sombra de dúvida, o que é o melhor para nós!

Tudo concorre juntamente para o nosso bem se, de fato, o amamos e somos chamados segundo o seu propósito. Perder isso de vista e questionar o amor e o cuidado do Senhor para conosco significa dar espaço para que Satanás consiga tirar proveito dessa situação.

O Senhor afirma claramente que os seus planos para nós (e consequentemente o seu agir) são de bem, não de mal. Nos dias em que a nação israelita foi levada ao cativeiro babilônico, por causa da sua desobediência, muitos começaram a pensar que Deus só queria fazer-lhes o mal. Mas, na verdade, o Senhor queria moldá-los e corrigi-los para o próprio bem deles. Depois da correção e do tratamento, viria a intervenção divina na situação que eles estavam enfrentando: o cativeiro. Deus disse que o cativeiro tinha um tempo estabelecido e que, nesse tempo, o seu povo aprenderia a buscá-lo e invocá-lo. Seria somente depois disso que ele os traria de volta à sua terra. Veja a profecia de Jeremias que nos revela isto:

> Assim diz o SENHOR: Logo que se cumprirem para Babilônia setenta anos atentarei para vós outros e cumprirei para convosco a minha boa palavra, tornando a trazer-vos para este lugar. Eu é que sei que pensamentos tenho a vosso respeito, diz o SENHOR; pensamentos de paz, e não de mal, para vos dar o fim que desejais. Então me invocareis, passareis a orar a mim, e eu vos ouvirei. Buscar-me-eis, e me achareis, quando me buscardes de todo o vosso coração. Serei achado de vós, diz o SENHOR, e farei mudar a vossa sorte; congregar-vos-ei de todas as nações, e de todos os lugares para onde vos lancei, diz

o Senhor, e tornarei a trazer-vos ao lugar donde vos mandei para o exílio (Jeremias 29.10-14).

Para o povo israelita, aquele era um momento difícil. Parecia que Deus já não se importava mais com eles e que tudo o que ele queria fazer para eles era o mal, não o bem. Deus, porém, enfatizou que ele intentava o bem para a nação e que, mesmo tendo corrigido e disciplinado, ele queria o bem deles.

Às vezes, parece que o Senhor já não está mais nos abençoando tanto quanto antes; outras vezes, parece que ele se esqueceu de nós. Na verdade, apenas *parece*, pois Deus *sempre* quer o nosso bem. Ele jamais intentará o mal contra nós, pois nos ama profundamente. É lógico que, em seu amor, ele nos corrige e nos disciplina, mas ele nunca intenta o mal. Mesmo quando ele nos julga, ele quer que nos arrependamos. Se não nos arrependermos e perecermos sob o seu juízo, Deus ainda tentará usar essa situação como um exemplo, para que outros não ajam semelhantemente a nós.

Isto não pode jamais ser questionado: Deus quer o nosso bem, sempre! Em toda e qualquer situação, devemos nos lembrar de que ele nos ama e deseja o melhor para nós. Quando não o entendemos, devemos confiar em seu amor e soberania, mas nunca questionar a sua benignidade.

Em todo o Antigo Testamento, o povo era instruído a louvar o Senhor, dizendo: "O Senhor é bom e a sua benignidade dura para sempre". Penso que Deus queria incutir isso na mente e no coração de seu povo. Ele é a própria expressão da bondade e da benignidade e sempre agirá assim conosco. Não conseguiremos ver a benignidade de Deus se avaliarmos o seu agir pelo que os nossos olhos veem, mas, se olharmos para o que

Planos de bem, não de mal

a sua Palavra diz a seu respeito, nunca questionaremos esse fato. O Senhor quer nos dar um futuro e uma esperança. Ele quer o melhor para a nossa vida!

Para muitos cristãos, as provações, o tratamento e até mesmo a correção de Deus não são uma demonstração de cuidado e amor, mas de abandono. Eles estão terrivelmente enganados!

Em toda e qualquer situação, Deus quer o nosso bem, e ele usa todas as circunstâncias para que sejamos beneficiados: "Sabemos que todas as coisas cooperam para o bem daqueles que amam a Deus, daqueles que são chamados segundo o seu propósito" (Romanos 8.28).

Nada foge do controle de Deus. Desde que andemos em fidelidade, não dando lugar ao Diabo por meio do pecado, tudo cooperará para o nosso bem, embora nem sempre pareça.

Amarras queimadas

Fico pensando naqueles três amigos de Daniel — Hananias, Misael e Azarias —, a quem o rei da Babilônia chamou de Sadraque, Mesaque e Abede-Nego. Eles eram fiéis ao Senhor e recusaram prostrar-se perante uma estátua, pois haviam sido ensinados na Lei de Moisés a adorar somente a Deus, nunca aos ídolos. Dada a sua fidelidade, eles enfrentaram uma das mais duras provas de sua vida, relatada no capítulo 3 do livro de Daniel.

Eles decidiram permanecer obedientes a Deus, ainda que isso lhes custasse a própria vida. Por isso, eles passaram por uma experiência única: foram lançados em uma fornalha, mas saíram vivos, sem que sequer um fio do seu cabelo fosse chamuscado, ou sem que houvesse até mesmo cheiro de fumaça em suas vestes, pois, pela fé, eles apagaram a força do fogo.

O agir invisível de Deus

O fogo não pôde fazer nada contra eles, nem queimar nada que lhes pertencia, exceto uma única coisa: as cordas que os amarravam! Veja só o que diz a Palavra de Deus:

> Então o rei Nabucodonosor se espantou, e se levantou depressa e disse aos seus conselheiros: Não lançamos nós três homens atados dentro do fogo? Responderam ao rei: É verdade, ó rei. Tornou ele e disse: Eu, porém, vejo quatro homens soltos, que andam passeando dentro do fogo, sem nenhum dano; e o aspecto do quarto é semelhante a um filho dos deuses (Daniel 3.24,25).

Até a hora em que foram lançados no fogo, os três servos de Deus estavam amarrados, mas, logo depois, já estavam soltos, pois a única coisa que o fogo conseguiu queimar foram as suas amarras!

De modo semelhante, quando Deus permite que as provações venham como um fogo sobre a nossa vida (1Pedro 1.7), o máximo que ele quer que se queimem são as amarras das áreas da nossa vida que necessitam ser queimadas.

Espiritualmente falando, as amarras queimadas na vida de Sadraque, Mesaque e Abede-Nego nos mostram o poder e a soberania de Deus sobre as nossas provações para fazer que cresçamos em meio às adversidades.

José passou por momentos difíceis no Egito depois de ter sido renegado e vendido por seus irmãos, mas o que o fortaleceu diante de tudo o que passou foi a certeza de que o Senhor queria o seu bem e de que lhe daria um futuro e uma esperança. Depois que todas as provações já haviam passado e Deus o havia exaltado, ele declarou o seguinte aos seus irmãos: "Vós, na verdade, intentastes o mal contra mim; porém Deus o tornou em bem, para fazer, como vedes agora, que se conserve muita gente em vida" (Gênesis 50.20).

Aleluia! Até mesmo quando outras pessoas (ou até mesmo o próprio Diabo) intentam o mal contra nós, Deus está ao nosso lado para transformá-lo em bem, pois é isso mesmo que ele deseja para cada um de nós: o nosso bem!

Fogo consumidor

Há um aspecto do tratamento de Deus que não é compreendido por muitos cristãos: a revelação de Deus como um fogo consumidor. "Porque o nosso Deus é um fogo consumidor." (Hebreus 12.29.)

Muitas pessoas não entendem que ele executa o seu juízo sem deixar de ser amoroso e acham que ser "fogo consumidor" é ser "destruidor", mas Deus está interessado no nosso bem, até mesmo quando ele se revela como um fogo consumidor. Eu quero deixar bem claro um princípio: o fogo não consome todas as coisas; somente as que são consumíveis! Ao escrever aos coríntios, Paulo falou a respeito disso:

> Contudo, se o que alguém edifica sobre o fundamento é ouro, prata, pedras preciosas, madeira, feno, palha, manifesta se tornará a obra de cada um, pois o dia a demonstrará, porque está sendo revelada pelo fogo; e qual seja a obra de cada um, o próprio fogo o provará. Se permanecer a obra de alguém que sobre o fundamento edificou, esse receberá galardão; se a obra de alguém se queimar, sofrerá ele dano; mas esse mesmo será salvo, todavia, como que através do fogo (1Coríntios 3.12-15).

O ouro, a prata e as pedras preciosas não se queimam; somente a madeira, o feno e a palha. O fogo não queima tudo,

O AGIR INVISÍVEL DE DEUS

mas *somente o que tem que ser queimado*. Há obras que resistem ao fogo, pois o seu propósito não é destruir tudo o que encontrar, mas tão somente o que é inútil e que não deve permanecer. Há momentos na vida em que passamos por provas de fogo, mas, como no caso dos três amigos de Daniel, em que o fogo somente queimou as suas amarras, assim também na nossa vida o fogo se limita a queimar somente as coisas que devem ser consumidas. Quando o tratamento chega ao fim, Deus dá o testemunho de que o fogo não consome tudo, mas apenas o que é necessário.

No Antigo Testamento, lemos a história do profeta Elias, que orou e por duas vezes desceu fogo do céu e consumiu os homens que o perseguiam (2Reis 1.9-15). Já no Novo Testamento, lemos que Tiago e João, filhos de Zebedeu, quiseram imitar Elias, quando Jesus não foi recebido por uma aldeia de samaritanos, e se propuseram a orar para que descesse fogo do céu que os consumisse. Naquela mesma hora, Cristo repreendeu os seus discípulos, dizendo-lhes: "Vós não sabeis de que espírito sois. Pois o Filho do homem não veio para destruir as almas dos homens, mas para salvá-las" (Lucas 9.55,56).

Em outras palavras, a visão de "fogo consumidor" que eles possuíam a respeito de Deus era a de destruição, mas o "fogo consumidor" deve ser visto por outra ótica, pois Deus não quer destruir-nos, mas restaurar-nos, e o fogo só queima o que é consumível.

Essa é a revelação da sarça ardente que Moisés viu. Há momentos em que o fogo consumidor já não está mais consumindo, como foi no caso da sarça, pois Deus só quer ser fogo consumidor na nossa vida até a hora em que já não há mais nada a ser consumido. A revelação da sarça nos mostra exatamente

Planos de bem, não de mal

isto: o ponto em que Moisés havia chegado depois de quarenta anos no deserto, em que já não havia mais o que ser consumido.

Por que na sarça o fogo ardia e não a consumia? Vejamos o texto bíblico em seus detalhes, para dele extrairmos alguns princípios:

> Apascentava Moisés o rebanho de Jetro, seu sogro, sacerdote de Midiã; e, levando o rebanho para o lado ocidental do deserto, chegou ao monte de Deus, a Horebe. Apareceu-lhe o Anjo do SENHOR numa chama de fogo do meio de uma sarça; Moisés olhou, e eis que a sarça ardia no fogo, e a sarça não se consumia. Então disse consigo mesmo: Irei para lá, e verei esta grande maravilha, porque a sarça não se queima. Vendo o SENHOR que ele se voltava para ver, Deus, do meio da sarça, o chamou, e disse: Moisés, Moisés! Ele respondeu: Eis-me aqui. Deus continuou: Não te chegues para cá; tira as sandálias dos pés, porque o lugar em que estás é terra santa. Disse mais: Eu sou o Deus de teu pai, o Deus de Abraão, o Deus de Isaque, e o Deus de Jacó. Moisés escondeu o rosto, porque temeu olhar para Deus (Êxodo 3.1-6).

Para entendermos bem o que estava acontecendo com Moisés nesse momento da sua visão, precisamos fazer uma pequena retrospectiva da sua vida. Moisés foi colocado por seus pais num cesto nas águas do rio Nilo, e foi encontrado pela filha do faraó, que o adotou. A sua mãe foi chamada para criá-lo até determinada idade, e ainda foi paga para isso. Moisés viveu no palácio do faraó e foi educado em toda a ciência dos egípcios. Havia uma distância muito grande entre a realidade que ele vivia no palácio e a que o seu povo vivia, sob o jugo egípcio da escravidão. Isso contribuiu para que seu coração ansiasse pela libertação do seu povo. Aos 40 anos de idade, ele visitou o seu povo e, vendo um egípcio maltratando um hebreu, o matou.

O AGIR INVISÍVEL DE DEUS

Moisés fez isso por uma única razão, que Estêvão nos revelou em sua pregação: "Ora, Moisés cuidava que seus irmãos entenderiam que Deus os queria salvar, por intermédio dele; eles, porém, não compreenderam" (Atos 7.25).

Essa é uma declaração importantíssima acerca de Moisés, pois mostra que, mesmo antes de Deus falar ao seu coração sobre a libertação do seu povo, ele já desejava isso! De fato, a Bíblia declara que Deus opera em nós o querer e o realizar (Filipenses 2.13). Ele começa despertando em nós um desejo, antes de nos levar a fazer o que ele planejou.

Contudo, não é só o querer que vem de Deus; o realizar também deve vir dele!

Nessa ocasião, Moisés ainda não entendia isso e, assim, quis fazer sozinho a obra de Deus. Ele quis ser o libertador na força da carne e do seu próprio braço, mas Deus não aceita e não abençoa isso, pois devemos depender dele e nos mover nele, se quisermos fazer a sua obra.

Moisés começou fracassando, pois o homicídio que ele praticou foi descoberto e o faraó quis matá-lo ao entender as suas intenções. Então, ele teve que fugir para a terra de Midiã, onde peregrinou por quarenta anos, casou-se e teve seus dois filhos. Esse homem, com toda a cultura e sabedoria que possuía, passou quarenta anos apascentando os rebanhos do seu sogro, no deserto.

Quando o Senhor se revelou a Moisés, ele já tinha 80 anos de idade, e aparentemente o Senhor já não queria mais usá-lo. Afinal de contas, quando Moisés estava no auge do seu vigor físico, Deus o "rejeitara". Mas, para que o Senhor o usasse, como veio a usá-lo, era necessário que ele trabalhasse na vida de Moisés, que o disciplinasse e o adestrasse.

Planos de bem, não de mal

Por que Moisés não pôde libertar o povo quando ele tinha 40 anos de idade?

Simplesmente porque ainda não era o tempo determinado por Deus!

O Senhor já havia falado ao patriarca Abraão acerca disso, que os hebreus seriam escravizados e afligidos por quatrocentos anos e que retornariam na quarta geração à terra de Canaã, pois era necessário que a medida da iniquidade dos cananeus se enchesse, antes que Deus os julgasse, e entregasse a terra deles aos hebreus (Gênesis 15.13-16).

Outro fator era o tempo de Deus na vida de Moisés. Era preciso que ele estivesse espiritualmente preparado, e tudo o que ele tinha era o preparo dos egípcios, pois havia sido educado como um príncipe.

É aí que entra a revelação da sarça! Depois de quarenta anos consumindo os "excessos" do preparo egípcio de Moisés, Deus revelou-se a ele e mostrou-lhe que já não havia mais nada a consumir, que ele agora estava pronto para fazer a obra para a qual Deus o havia chamado.

É interessante notar que Deus também não acusa Moisés pelo homicídio que ele cometera quarenta anos antes, pois a revelação de Deus no fogo da sarça não é de destruição, mas de restauração! O Senhor pediu que ele tirasse as sandálias, para que a sola dos seus pés estivesse em contato direto com terra santa, para que ele se expusesse à santidade de Deus.

Veja que o propósito do Senhor foi restaurá-lo e usá-lo, depois de quarenta anos consumindo as coisas que deveriam ser consumidas em sua vida. Aí então o Senhor mostrou-lhe que o fogo só consome enquanto há o que consumir, pois o propósito do fogo não é destruir, mas aperfeiçoar!

Em todos os tratamentos pelos quais passamos, Deus quer o nosso bem. Ele tem planos de bem, não de mal, e ele quer nos dar o fim que desejamos, com um futuro e uma esperança. Não devemos ter medo do seu tratamento, nem do fogo consumidor, pois, se estivermos abertos ao seu tratamento, tudo o que provaremos é o aperfeiçoamento!

Não esmagará a cana quebrada

Um texto bíblico que me ajudou a compreender que Deus quer fazer o bem para mim, nunca destruir-me, até mesmo no mais intenso período de tratamento, foi o seguinte: "Não esmagará a cana quebrada, nem apagará a torcida que fumega; em verdade promulgará o direito" (Isaías 42.3).

Eu nunca havia entendido a expressão "não esmagará a cana quebrada" até um dia em que fui à lavoura de um amigo. Entramos de caminhonete em sua plantação de trigo para que ele pudesse avaliar o estado do trigo em diferentes pontos, e eu percebi que, à medida que avançávamos, deixávamos um trilho, a marca dos pneus que pareciam esmagar as plantinhas indefesas. Inocentemente, eu lhe perguntei se ele não estava estragando aquela parte da plantação por onde passávamos, e ele disse que não. Ele parou para mostrar-me que, mesmo com o talo quebrado, aquele trigo se levantaria de novo, num verdadeiro processo de regeneração da natureza. Em seguida, ele me mostrou outras áreas onde isso já havia acontecido.

Quando a Bíblia fala sobre "cana", ela está falando sobre o caule das plantas. Deus está dizendo que, mesmo que elas se quebrem, ele não as destruirá por causa disso, mas permitirá que elas sejam restauradas, e que as suas rachaduras sejam refeitas. É a mesma mensagem do fogo consumidor. Deus não

Planos de bem, não de mal

quer destruir-nos quando aplica o seu tratamento em nós, mas aperfeiçoar-nos! Ele sempre quer o nosso bem! Quando estamos "quebrados" em alguma área da vida, o Senhor não nos esmaga por não sermos perfeitos, mas permite que ocorra uma restauração.

A outra frase do versículo, que transmite a mesma mensagem que a da primeira, é: "Ele não apagará a torcida que fumega". É uma alusão ao pavio da lâmpada que já não está mais aceso, que está se apagando. Novamente a Bíblia declara que, até mesmo quando não estamos em conformidade com o que Deus planejou para nós, ele não nos destrói. O Senhor não molha a ponta dos dedos com saliva para apertar o pavio que fumega, como fazemos com uma velinha de bolo de aniversário. Não! Ele não quer destruir-nos! Ele quer o nosso bem! Como diz o antigo cântico pentecostal, "se apagar o pavio que fumega, Jesus assopra, e o fogo pega!". Aleluia! Jesus jamais apagará o nosso último pavio de esperança!

Lucrando nas perdas

Eu sei que muitas coisas que acontecem conosco não aparentam trazer consigo o controle de Deus ou que nos levarão a algo melhor. Deus, porém, sabe como tratar conosco. As Escrituras Sagradas estão repletas de exemplos de como podemos ser beneficiados em situações de perdas.

Isaque começou a ser abençoado por Deus e a prosperar em tudo o que ele fazia. Ele chegou até mesmo a plantar numa época de fome e colheu a cem por um! Tudo parecia bem, com a bênção do Senhor, e ele decidiu abrir os poços que Abraão, seu pai, havia cavado, mas, de repente, a calmaria cessou e os homens de Gerar começaram a contender com ele por causa daqueles poços. Contudo, isso fez que ele começasse a cavar outros poços e deixasse de andar "só na sombra de seu pai", como fazia até então (Gênesis 26.12-33).

Isaque, a meu ver, é a figura menos proeminente de todos os patriarcas. Como ele herdou tudo do seu pai, não teve muitas conquistas, como foi o caso de Abraão e também de Jacó. Contudo, esse episódio aparentemente negativo, em dias em que a bênção do Senhor estava com ele, fez que ele iniciasse as suas próprias conquistas. O que parecia ser a ausência da bênção de Deus tornou-se uma bênção ainda maior!

O apóstolo Paulo passou por uma situação de naufrágio. O navio em que ele estava encalhou e começou a ser destruído pela força das ondas. Isso fez que todos abandonassem o navio e tentassem se salvar, chegando a nado a terra firme, ou segurando-se nos destroços do navio.

Ele poderia até mesmo ter questionado Deus, como muitos de nós fazemos, mas não o fez, pois sabia que Deus nos beneficia nas perdas. Assim, a sua segurança foi o ânimo para o coração dos demais. Já em terra, Paulo apanhou lenha para alimentar o fogo junto ao qual eles se secavam e se aquentavam, mas uma serpente saiu do meio da madeira e picou-lhe a mão. Enquanto todos esperavam que ele morresse, Deus o poupou de forma milagrosa, e uma porta se abriu para que ele pregasse o evangelho e ministrasse cura a muitos enfermos da ilha de Malta. Deus pode fazer que lucremos nas perdas (Atos 27.41—28.10)!

Quando Paulo e Silas foram açoitados e presos por terem expulsado o espírito de adivinhação de uma moça em Filipos, eles não se entristeceram. Em vez disso, começaram a orar e cantar louvores a Deus! Aí então um grande terremoto os libertou e permitiu que eles ganhassem o carcereiro e toda a

Planos de bem, não de mal

sua família para Cristo. O que aparentemente poderia ser visto como uma derrota ou perda, Deus transformou em benefícios, pois ele é soberano sobre todas as coisas (Atos 16.16-34).

Certa ocasião, ouvi um relato sobre o que aconteceu a um grupo de pescadores que moravam em um mesmo vilarejo. Todos os homens saíram para pescar e, enquanto estavam no mar, sobreveio-lhes uma grande tempestade que os deixou totalmente perdidos, incapazes de retornar. Quando a tempestade se acalmou, já estava anoitecendo, e eles não conseguiam localizar-se para poderem voltar. Aflitas, as mulheres e as crianças se dirigiram à praia, para esperar por eles, e, num descuido gerado pela aflição delas, uma das casas incendiou-se, e, por não haver meios de controlar o incêndio, perdeu-se tudo o que havia naquela casa. Não muito tempo depois do incêndio, os pescadores conseguiram retornar e foram recebidos com festa pelos seus familiares. Contudo, um dos pais de família foi recebido com choro. Não entendendo por que seus familiares estavam chorando, ele lhes perguntou o que os entristecia, e a sua esposa contou-lhe sobre o incêndio e como eles haviam perdido a casa e os seus pertences. Aí então o homem disse-lhes: "Mas vocês deveriam alegrar-se! Se não fosse pelo incêndio, que iluminou a praia, jamais teríamos conseguido retornar!".

Tal qual nesse episódio dos pescadores, devemos crer que o Senhor também nos levará a "lucrar" em toda e qualquer circunstância da nossa vida!

Compreendendo a correção

Até mesmo quando somos corrigidos, é para o nosso próprio bem, como reconheceu o salmista: "Antes de ser afligido andava errado, mas agora guardo a tua palavra. [...] Foi-me bom ter

O AGIR INVISÍVEL DE DEUS

eu passado pela aflição, para que aprendesse os teus decretos" (Salmos 119.67,71).

O Senhor não quer destruir-nos quando nos corrige; ele quer o nosso bem. No entanto, até mesmo quando estamos procurando andar com Deus, podemos errar nas nossas motivações. A grande verdade é que somos falhos, imperfeitos e precisamos ser trabalhados por Deus. Isso, porém, será sempre para o nosso bem! A epístola aos Hebreus também nos ensina a respeito da correção divina:

> E estais esquecidos da exortação que, como a filhos, discorre convosco: Filho meu, não menosprezes a correção que vem do Senhor, nem desmaies quando por ele és reprovado; porque o Senhor corrige a quem ama, e açoita a todo filho a quem recebe. É para disciplina que perseverais (Deus vos trata como a filhos); pois, que filho que há que o pai não corrige? Mas se estais sem correção, de que todos se têm tornado participantes, logo sois bastardos, e não filhos. Além disso, tínhamos os nossos pais segundo a carne, que nos corrigiam, e os respeitávamos; não havemos de estar em muito maior submissão ao pai dos espíritos, e então viveremos? Pois eles nos corrigiam por pouco tempo, segundo melhor lhes parecia; Deus, porém, nos disciplina para aproveitamento, a fim de sermos participantes da sua santidade. Toda disciplina, com efeito, no momento não parece ser motivo de alegria, mas de tristeza; ao depois, entretanto, produz fruto pacífico aos que têm sido por ela exercitados, fruto de justiça (Hebreus 12.5-11).

Se somos filhos, então somos corrigidos, e isso é uma demonstração do amor do nosso Pai celestial. Isso não quer dizer, no entanto, que nos sentiremos "confortáveis" quando formos corrigidos. A advertência é para não menosprezarmos a correção e também para não desmaiarmos quando formos corrigidos.

Planos de bem, não de mal

E por que a Bíblia fala sobre "desmaiar"?

Porque há momentos em que a correção certamente parece ser mais forte do que nós. E ela não traz alegria a princípio; só tristeza. Depois, porém, produzirá em nós frutos de justiça.

Portanto, o que devemos ter em mente quando somos corrigidos é que Deus quer o nosso bem. Ele nos disciplina para o nosso aproveitamento!

Devemos reconhecer sempre que os planos que Deus tem para nós não são planos de mal, mas de paz, de bem. O desejo do Senhor é dar-nos um futuro e uma esperança, quer entendamos isso quer não.

Há momentos em que achamos que não suportaremos o tratamento divino na nossa vida. Há horas em que achamos que seremos destruídos. No entanto, Deus quer o nosso bem!

Nunca permita que o Inimigo sugira que o Senhor está contra você. Até mesmo se ele estiver usando os seus aguilhões ou estiver abalando a nossa vida, até mesmo se o fogo estiver consumindo muitas coisas em nós, ou se Deus, à semelhança da águia, estiver nos lançando ao ar, para que possamos aprender a voar, não podemos perder de vista que ele quer o nosso bem. Os seus planos para nós são os melhores! Que todos possamos desfrutá-los em plenitude!

CONCLUSÃO

O AGIR DE DEUS É E SEMPRE SERÁ invisível aos nossos olhos!

Quando não o vemos agindo, não significa que ele não está agindo. Quando não enxergamos ou não compreendemos o que ele está fazendo, não quer dizer que ele não está agindo em nosso favor. Quando nada à nossa volta parece refletir a sua presença, não significa que ele nos tenha abandonado.

Como declarou o apóstolo Paulo, "andamos por fé e não pelo que vemos" (2Coríntios 5.7). Não somos guiados por aquilo que os nossos olhos podem constatar nas circunstâncias que nos rodeiam. Somos dirigidos por fé. E a fé se apoia no caráter de Deus, que nunca falha. Ele é digno de toda a nossa confiança. Cada um de nós pode, à semelhança do apóstolo, declarar: "porque sei em quem tenho crido" (2Timóteo 1.12).

Devemos ter sempre a certeza e a convicção de que o Senhor permanece soberano sobre todas as coisas, e, se andarmos na sua presença, com um coração dedicado e sincero, provaremos o que ele tem de melhor para nós. Viva nesse lugar de confiança e dependência dos cuidados divinos. Enquanto a intervenção divina não acontece do lado de fora, permita ser moldado e tratado por ele do lado de dentro. Assim, inevitavelmente vivenciaremos o crescimento espiritual e descansaremos em fé até a plena intervenção de Deus.

Esta obra foi composta em *Adobe Caslon Pro*
e impressa por Gráfica Piffer Print sobre papel
Polen Bold 70 g/m² para Editora Vida.